Hugh faur as y
dar Ken .

Co ven .

Charles
2007

Byw dan y Bwa

Charles Arch

Gwasg
Gwynedd

Argraffiad Cyntaf — Ebrill 2005

ISBN 0 86074 213 X

*Cyhoeddwyd ac Argraffwyd
gan Wasg Gwynedd, Caernarfon*

Cyflwyniad

Wrth i'r gyfrol hon ddod i olau dydd, sylweddolaf fod gennyf le i ddiolch i gynifer o bobl. Wrth sôn am Ystrad Fflur a'i chymeriadau caf fy nharo'n syth gan y ddyled anferthol sydd arnaf i'r fro, i'r gwerthoedd, i'r gwahanol brofiadau, y cynghorion a'r gweithgareddau a fowldiodd fy mywyd.

Bu dylanwad teulu ac unigolion fel Miss Rees, John Jenkins, Dafydd Huws a Mrs Mary Roberts (Miss Boden), fy athrawes Gymraeg yn Nhregaron, cystal â choleg i mi, a go brin y byddai unrhyw athronydd yn medru traethu'n well na Dai Cornwal.

Yn sicr, ni fyddai'r gyfrol hon wedi gweld golau dydd heb ysgrifen ddestlus Mari'r wraig, teipio Mererid y ferch a'r gofal arbennig a roddodd Lyn Ebenezer wrth roi trefn ar y cyfan. Diolch hefyd i'r Prifardd Tudur Dylan Jones am roi'r hawl i gynnwys y cywydd a luniodd i ddathlu fy mhen-blwydd yn saith deg oed.

Mae'r gyfrol yn ymgais syml i gofnodi cyfnod a thalu teyrnged i ardal ac unigolion y bydd gen i barch tuag atynt tra byddaf byw.

Gobeithio y cewch hwyl ar y darllen.

CHARLES ARCH

Cynnwys

Hwn yw mab Bwa'r Abad
Lle'r oedd holl diroedd ei dad
Wedi'i ffurfio yno'n faith
A'i lunio'n fugail unwaith.

Yn y Bont yr oedd y byd
Yn nefoedd, yno hefyd
Roedd y werin ddiflino'n
Gymaint rhan o'i anian o.

Yn hwyl y Sioe, un Charles sydd,
Un yn ben yno beunydd,
Un ar waith yn gwneud ei ran,
Seinydd yw Charles ei hunan!

Er mor llawen ym Mhennal
Enaid yw sydd eto'n dal
Yn un â bro ei eni
A'r hen iaith a'i gwerin hi.

Dros bob gorwel, dychwelyd
Wna i'r Bont o ben draw'r byd,
A dwg y Rhydfendigaid
Barhad i'r Abad, o raid.

Tudur Dylan Jones

Cof Cyntaf

Pa mor bell yn ôl all rhywun gofio? Cael fy ngharcharu yw'r digwyddiad cyntaf i aros yn fy meddwl i. Popeth yn hirgrwn i'r llygaid wrth syllu'n syn drwy gorff y llidiart a wrthodai agor i'm gollwng i ryddid y ffald, y ffordd fawr a'r afon a lifai heibio talcen y sgubor.

Clywais yn ddiweddarach gan fy mam fy mod o'r funud y dechreuais gerdded yn anelu am y drws cefn ac allan i'r ffordd fawr, ac un ai i'r ffald neu ar fy union i'r afon. Fel cyntaf-anedig, doedd neb am fy ngholli a phenderfynwyd gosod terfynau arnaf er mwyn fy niogelwch fy hun. Roedd yr hen dŷ fferm â llwybr cert o'i ddeutu gyda wal garreg sylweddol yn derfyn ar hyd tair ochr yr adeilad. Felly, ar dalcen gogleddol a deheuol y tŷ gosodwyd dau lidiart gan roi libart i mi o ryw wyth troedfedd o led a thua phum llathen ar hugain o hyd. Mwy na digon, mae'n debyg, i grwt bach cyffredin. Ond nid i un oedd am grwydro'r ffald, gwlychu ei draed yn yr afon a chychwyn allan i'r byd mawr agored.

Rhaid dweud, medrai'r carchar fod yn ddifyr weithiau, yn enwedig y tap dŵr yn y wal. Roedd hwn gyferbyn â drws y cefn i fod yn gyfleus i'r gegin. Ac ar ôl gwylio Mam a'r forwyn yn nôl dŵr am rai troeon, deallais y ffordd i'w agor a gwlychu'n hapus lawer tro nes i sŵn traed roi terfyn poenus i'r hwyl.

Deuai cath neu ddwy ar dro gan esgus bod yn

ffrindiau. Ond pan fyddem yn chwarae o ddifri, a minne â gafael tyn yng nghynffon un o'r cathod, byddai'n gwthio rhwng bariau'r llidiart a dianc. Rhyw fore, a minne wedi bod yn taflu darnau o fara ar y llawr i geisio denu Wag y ci du-a-gwyn i mewn ataf, disgynnodd y ceiliog dros y wal a dechrau bwyta'r briwsion. Roedd hon yn gêm newydd ac ymlaen â fi ac yntau â'i ben i lawr a'i gynffon bron at fy nhrwyn. Cydiais yn dynn yn ei gynffon a'r funud nesaf roeddwn ar lawr yn crio, y ceiliog wedi dianc a dwy bluen fawr yn gorwedd ar fy mrest.

Dechreuodd pethau fynd yn flin! Cerdded i'r llidiart nesaf – neb i'w weld; yn ôl at y llall a dim ond darnau hirgrwn o fuchod yn mynd heibio. Gwelwn fy nhad, y gweision a'r forwyn byth a hefyd yn mynd ac yn dod drwy'r llidiart a'i gau ar eu holau. Y forwyn fyddai'n mynd drwodd amlaf. Byddai'n cario dau fwced yn llawn griwel i'r lloi o'r gegin gefn i'r buarth ac yna mynd yn ôl am ragor. Oherwydd bod y griwel poeth yn cael ei baratoi yn y gegin byddai ffowntan fawr yn ffrwtian berwi yn gyson ar y tân ac ni chawn fynd fan hynny chwaith ond yn llaw Bet, y forwyn. Doedd dim hwyl yn hynny a buan y cefais ddigon ar ei 'dere gyda fi i weld y gegin, 'na gwd boi'.

Deuai Ewyrth John weithiau o'r tŷ wrth ei ffon allan ataf am sgwrs ond ni fyddai'n ddigon dewr i agor y llidiart. A beth bynnag, byddai'n diflannu o'r golwg ar ôl i mi ofyn iddo ddwywaith neu dair.

Roedd Bet wrth ei bodd y bore hwnnw yn cario griwel i'r lloi ac ar ei ffordd â dau fwced llawn pan waeddodd Mam arni o'r llofft. Aeth Bet yn ôl i'r tŷ a minne heb fawr ddim gwell i'w wneud nag edrych ar y bwyd lloi.

Mae'n debyg fod y ddau fwced rhyw ddwy lath o'r llidiart. Yn sydyn dyma ben Wag i'r golwg yn hirgrwn y llidiart a'r funud nesaf roedd wedi crafu ei ffordd drosodd a'i drwyn ym mwyd y lloi. Bûm rai eiliadau cyn sylweddoli beth oedd wedi digwydd – roedd Wag wedi dangos y ffordd allan! Cydiais yn dynn a dechrau dringo nes i mi rywfodd gael un goes drosodd. Ond yna, ni fedrwn symud. Pe byddwn yn symud y naill goes neu'r llall gwelwn y llawr yn dod i fyny i gwrdd â mi. Ac yno roeddwn pan ddaeth Bet yn ei hôl. Digwyddodd hyn deirgwaith yn ystod yr wythnosau nesaf ac yna gwawriodd y golau. Rhaid oedd gosod y ddwy droed bob ochr i'r llidiart yn solet ar y bar nesaf at yr uchaf, cydio yn dynn efo'r ddwy law yn yr uchaf, codi'r goes dde drosodd ac yna disgyn i lawr yr ochr draw.

Roeddwn allan, ond roedd gormod o ddewis lle roeddwn i fynd gyntaf. Fel llawer fferm arall roedd drysau ac adeiladau ym mhobman. I'r dde o'r tŷ roedd y tŷ pair a'r sièd fawn. Rhwng yr adeiladau yma a'r ffald roedd y ffordd fawr ond medrwn groesi honno'n hawdd. Roedd y ffald yn ffurfio sgwâr gyda'r beudy yn rhedeg un ochr, adeilad y gwartheg stôr yn ffurfio ochr arall, yna'r sgubor a beudy'r tarw gyda'r stabal a'r cartws yn cau'r cyfan i mewn. Yn aml byddai gatiau'r ffald ar gau ond doedd hynny ddim yn broblem fawr bellach ar wahân i'r llidiart yn arwain heibio talcen y sgubor i'r ydlan. Hen lidiart anodd oedd hwn gyda rhyw weiren ddefaid ar ei draws, a byth a hefyd byddai 'nhraed yn mynd ynghlwm ac wrth weiddi am help byddai pawb yn gwybod lle roeddwn.

Nid oedd y ffald cystal lle ag yr oeddwn wedi ei

obeithio gan fod gormod o hen bobol yno. Droeon byddai Nhad yn cydio ynof, ac yn lle gadael i mi ei ganlyn i'r sgubor neu'r stabal byddwn yn ôl yn y tŷ mewn chwinciad. Unwaith y byddwn yn ôl yno rhaid fyddai canlyn Bet y forwyn ar hyd y llofftydd. Ych! Roedd yn gas gen i'r hen le gydag arogl polish ym mhobman a thawch cryf pi-pî yn stafell y gweision.

Dro arall awn ar sgawt i'r beudy ac i mewn i'r stâl fach at y fuwch wen. Roedd hi'n wyn i gyd gyda blew duon o gwmpas ei cheg ac yn ei chlustiau. Ond cyn gynted ag y byddai'r ddau ohonom yn dechrau cael hwyl, deuai Jac Sais y cowman gan fwmian rhywbeth mewn iaith ddieithr. A dyna ddiwedd ar y chwarae.

Dyn byr yr un hyd a'r un led oedd Jac, ac wedi blynyddoedd o grwydro wedi hanner setlo i lawr yn yr ardal. John Kirk oedd ei enw cywir ond fel Jac Sais y câi ei alw gan bawb. Roedd Jac, fel pob crwydryn, yn barod i fwyta bob amser a'i stumog fel casgen ddiwaelod, yn ôl Mam. Rwy'n cofio Jac yn gofyn am finegr un noson a Mam yn dweud wrtho am estyn y botel o'r cwpwrdd deuddarn yn y gornel. Ac yng ngolau gwan y lamp olew dyma fe'n gwneud camgymeriad. *'This is very nice, missus,'* medde Jac ymhen ychydig ac arllwys rhagor ar ei fwyd. Wedyn y darganfu Mam mai elderbyri wein oedd wedi mynd â bryd Jac. Bu farw fis Medi 1949 ac mae carreg las ar ei fedd. Talwyd amdani drwy gasgliad a drefnwyd gan John Jenkins yn yr ardal. Ni welais Jac erioed heb drowser rib amdano a naill ai brwsh câns neu bicwarch yn ei law.

Y stabal oedd y lle – yn llawn ceffylau gwedd gyda choben farchogaeth Nhad yn y stâl bella. Pan fyddai

Lester y gaseg goch yn cicio'r llawr, tasgai cawod o wreichion allan. Meddyliais am gael bwced i ddal y gawod ond bob tro mewn chwinciad byddai Ewyrth Jac neu Tanto yn ymddangos o ryw gornel dywyll a dyna gêm arall wedi ei cholli. Fel hyn y byddai bywyd: dechrau cael hwyl ac yna un o'r bobl hŷn yn sbwylio popeth. Hen rai diwerth a diddychymyg am chwarae yw pobl wedi tyfu lan.

Un bore, a minne ar sgawt wrth ddrws y stabal, gwelwn Tanto yn trin mwng Darbi y gaseg las. Roedd yn eistedd ar ben pared y stâl ac yn plethu gan wau rhywbeth i mewn ac allan yn ei mwng. Fel arfer, o fewn dim o amser, roedd wedi fy ngweld a gafael amdanaf. Cefais gymaint o siom, mae'n debyg am nad oeddwn wedi gweld neb yn plethu mwng ceffyl o'r blaen fel i mi ddechrau strancio o ddifri a chrio ar dop fy llais. Cafodd hyn i gyd effaith ar Tanto ac ar ôl 'Dere nawr, 'na gwd boi', nifer o weithiau dyma fe'n fy ngosod ar gefn Darbi. Roedd fy mhen bron cyffwrdd â'r llofft a gallwn eistedd ar ei chefn yn hawdd. Dim ond cydio mewn un goes i mi wnâi Tanto. Roeddwn yn marchogaeth! Siŵr, erbyn cyrraedd yn ôl i'r tŷ roedd yr had wedi disgyn – doedd gan bobl mewn oed ddim ateb i grwt bach oedd yn crïo.

Bu Tanto'n ffrind am hir wedyn. Dyn byr gyda gwallt tywyll oedd Tanto ac yn ystwyth fel y faneg. Yn ôl Mam doedd neb tebyg iddo am ddal cwningen neu bysgodyn. Caem botes gwningod yn aml a physgod yn weddol gyson nes i Tanto briodi a gadael i ddreifio lorri yn y pentre.

Tu Draw i'r Llidiart

Roedd ein tŷ ni yn lle rhyfedd iawn. Yn llawn o bobol ac eto neb i chwarae â nhw. Roedden nhw'n hen i gyd ar wahân i fy chwaer – a gorwedd a chrio bob yn ail mewn pram wnâi honno drwy'r dydd. Cydiwn yn ei gwallt weithiau i geisio'i chodi ar ei thraed nes, o glywed ei sŵn, y deuai Mam neu Bet a'm danfon allan drwy'r drws.

Awn o'r tŷ weithiau at gytiau'r moch ac ambell dro, wrth ddringo ochr y drws, medrwn gosi cefn yr hwch ddu. Tipyn o ffrind oedd yr hwch ddu. Pan fyddwn yn cosi ei chefn, gwthiai yn nes at y drws fel y gallwn ei chyrraedd yn well. Clywais Mam yn dweud un diwrnod fod yr hwch wedi dod â moch bach. 'Deg o rai du gyda streipen wen dros gefn pob un,' medde hi wrth Bet. Bant â fi o'r tŷ yn slei bach at y cwt gan chwarae ag ochr y drws i dynnu sylw'r hwch cyn dringo i fyny. Ddaeth hi ddim allan o gwbwl a ches i ddim gweld y moch bach. Es i ddim yno wedyn. Roedd y cwt yn drewi beth bynnag!

Byddai Fflei yr ast a minne yn mynd am dro gyda'n gilydd weithiau yn enwedig os byddai brechdan neu ddarn o gacen gen i i'w denu. Gast fach fyrgoes oedd Fflei gyda chorff du a lliw gwyn a rhuddgoch yn gymysg ar ei choesau, dan ei chynffon a hyd yn oed i fyny ar hyd ei bochau. Un bore, a minne newydd ddianc o afael Bet – oedd am ryw reswm wedi gadael griwel y lloi wrth y drws ac wedi mynd yn ôl i'r tŷ – daeth Fflei i'r golwg. Ni

16

fu fawr o dro cyn bwyta llond bol o'r griwel. Ond yn lle aros gyda fi dyma hi i ffwrdd yn syth heibio'r tŷ pair. Fe wnes i ei dilyn, wedi digio braidd, a gwelwn hi'n mynd o dan lidiart y Cae Bach a throi at y tŷ gwair. Yno, yng nghanol y gwair sych, roedd Fflei gydag wyth o bistos bach gwichlyd yn sugno ffwl-pelt. Bûm yno am oriau yn mwytho un ar ôl y llall nes i'r hen Jac Sais gyrraedd â'i gynfas wair a cheisio fy ngyrru i ffwrdd. Roedd e'n rhy dwp i weld fy mod i a Fflei yno i edrych ar eu hôl.

Trannoeth fe es yn ôl ben bore ond yn lle wyth, dim ond un pisto bach du oedd yno ac roedd Fflei yn crio. Doedd dim sôn am y cŵn bach eraill yn unman er i mi chwilio yn hir. Holais y dynion oedd o gwmpas o'r diwedd, ond fel arfer roedd pob un yn rhy brysur ac yn credu mai dim ond un ci bach oedd gan Fflei o'r cychwyn. On'd yw dynion wedi tyfu'n fawr yn medru bod yn rhyfedd?

Yn ystod y dydd, os byddwn i am chwarae, byddai'r esgus bob tro gan y dynion fod ganddyn nhw lot o waith i'w wneud. Eto daliais Tanto ac Wncwl Jac lawer tro yn eistedd ar y bocs tsiaff yn smocio.

Fin nos, yn enwedig yn y gaeaf, byddai'r tŷ yn llawn. Yn y parlwr byddai Miss Davies, athrawes yn yr ysgol, a Davies y Riwins, a oedd â'r gofal o glirio'r pridd a'r cerrig allan o'r hen abaty drws nesaf. Lojyrs oedd y ddau a dim enw cyntaf gan y naill na'r llall, yn wahanol iawn i Tanto, Bet a Jac Sais. Byddwn yn mynd i mewn i'r parlwr ambell noson a byddai Davies y Riwins yn neis iawn ac yn aml cawn rywbeth i'w fwyta ganddo. Un sych iawn oedd Miss Davies ac ni chawn byth, bron, fawr o sgwrs â hi.

Roedd Miss Davies, clywais wedyn, yn hen ferch ac yn byw yn Llambed. Byddai'n mynd adre bob nos Wener gan ddal bws neu fynd ar y trên o Stesion Strata. Un o'r North oedd Mr Davies ac yn defnyddio geiriau rhyfedd weithiau a siarad yn gyflym iawn. Byddai rhai o'r dynion yn ei alw yn blydi Gog, ond chwarae teg i Mr Davies, ni fyddai byth yn dal dig. Roedd yn byw yn Nolwyddelan, medde Mam, yn bell i'r North. Ni fedrai Mr Davies druan fynd adre'n aml – dim ond bob rhyw dair wyth-nos, a'r daith yn un hir iawn. Roedd tunelli o rwbel i'w clirio o'r hen abaty cyn y byddai'n barod ar gyfer ymwelwyr, yn ôl Mr Davies. Ymateb Tanto ac Wncwl Jac bob amser oedd, 'Pwy abaty? Riwins yw'r blydi lle.'

Er cael ei alw'n 'riwins' gan Tanto ac Wncwl Jac, roedd yr abaty yn lle delfrydol i ni'r plant. Abaty Ystrad Fflur, lle claddwyd Dafydd ap Gwilym a llu o dywysogion, yn ôl Miss Rees, prifathrawes yr ysgol. Mae'n debyg fod yr hen dŷ fferm wedi bod yn rhan o'r abaty ar un adeg a hyd heddiw mae yna lun o Iesu yn cael ei demtio gan y diafol ar banel pren yn y parlwr. Mae'r ddadl taw'r myneich llwydion neu rywun arall a'i paentiodd yn dal i fodoli, a hyd yn hyn does yr un arbenigwr wedi penderfynu pren o ba wlad a pha goeden sydd yng ngwneuthuriad y panel.

Yn amgylchynu'r abaty roedd mynwent y plwyf a'r Eglwys a'r cyfan rhyw filltir a chwarter o'r pentref, sef Pontrhydfendigaid. Ar fin nos deuai Charles Cornwal a Dic John draw, a byddem yn chwarae yn yr hen abaty am oriau gan fod cymaint o gilfachau i guddio ynddynt yno. Un tro credodd y tri ohonom ein bod wedi darganfod corff yn y twnnel o dan un o'r capeli a dyma redeg i nôl Nhad. Ond o edrych eilwaith, canfuwyd mai Harry

Lauder, hen grwydryn, oedd yno wedi meddwi ac yn cysgu'n drwm.

Efallai, o edrych yn ôl, mai un o'r synhwyrau y dois yn ymwybodol ohono gyntaf oedd ofn. Byddwn yn gorfod rhedeg yn dragwyddol ar neges i'r pentref ac yn aml, yn enwedig yn y gaeaf, yn cael fy nal gan y nos. Cyngor Nhad bob amser fyddai, 'Os wyt ti 'di dychryn a chredu dy fod ti'n gweld rhywbeth annaturiol, aros yn llonydd am funud ac yna tyrd yn dy flaen.' Digon hawdd dweud, ond peth arall ydy gwneud gan i'r lleuad chwarae nifer o driciau â mi lawer tro a minne yn dod at lidiart y fynwent. Cofiaf yn dda un noson dywyll fel y fagddu ddod yn ôl o'r pentre ac yn sydyn, tua hanner can llath o lidiart y fynwent, gwelwn bedwar peth gwyn ar y llawr ac un arall i fyny ychydig yn uwch na'r ddaear. Teimlwn fy ngwallt yn sefyll i fyny'n syth ac arhosais, nid am fy mod yn cofio geiriau Nhad, ond am fy mod yn rhy ofnus i redeg. Beth bynnag, symud ymlaen wnes i yn y diwedd a hynny ar goesau fel jeli a sylweddoli mai ceffyl gwedd Nhad oedd yno – ceffyl du â phedair coes wen, a bali (streipen wen) o'i dalcen i lawr at ei ffroen. Cefais lawer i ofn ar ôl hynny ond bu cofio am yr hen geffyl yn help i mi gadw rhag rhedeg i ffwrdd.

Mae'n siŵr i'r hen abaty roi cyfle i ni'r plant gwrdd â llawer o bobl ddieithr a phobl dramor dros y blynyddoedd a hynny wrth fyw allan yng nghanol y wlad. Am gyfnod dros y Rhyfel bu Mam yn gofalu ar ôl yr abaty a'r syndod mawr oedd i gynifer o bobl ymweld â'r lle yn ystod y cyfnod hwnnw. Erbyn heddiw mae yno ofalwr llawn amser a'r lle wedi ei glirio allan i gyd a'r tomenni pridd a'r cerrig wedi diflannu'n llwyr.

Gorfu i Nhad neilltuo darn o gae ar gyfer cario'r rwbel allan. Tom Tomos o Terrace Road yn y pentre fyddai wrthi bob dydd yn ceibio a llanw whilber a'i gwthio allan i'r cae. Pe byddai darn o addurn neu deilsen yn y pridd roedd rhaid eu cadw, ac awn weithiau i wylio Tom wrth ei waith. Roedd ganddo watsh ym mhoced ei wasgod a byddwn yn gofyn yn weddol aml iddo am yr amser nes iddo ddweud yn y diwedd, 'Paid, bach, â gofyn eto. Mae'r watsh yn treulio wrth ei thynnu hi allan o hyd.'

Fin nos yn y gegin fawr oedd hi orau gyda dau lond bwrdd yn bwyta. Cawn eistedd wrth y bwrdd mawr ambell noson a byddwn yn treio cael lle rhwng Tanto ac Wncwl Jac. Nid oeddwn yn hoffi bod wrth ochr Jac Sais; roedd drewdod dom gwartheg ar ei ddillad bob amser. Byddai'n bwyta lot hefyd ac yn pecial weithiau yn fy wyneb.

Yr amser gorau oedd ar ôl y swper. Byddai'r bwrdd bach yn cael ei glirio a'i osod ym mhen draw'r gegin. Yna, byddai Wncwl Jac yn dod â'r bwrdd coits i mewn a'i osod ar ganol y bwrdd bach. Roedd peg haearn yng nghanol y bwrdd a dau gylch o wahanol liw oddeutu'r peg. Yn crogi wrth y peg bob amser byddai pedwar cylch rwber trwchus gydag un ochr wen ac un ddu i bob cylch. Byddai pedwar o'r dynion yn chwarae gan rannu yn ddau dîm gyda'r bwriad o gael y cylch am y peg neu o leiaf ei gael mor agos ag yr oedd modd i'r peg. Rown i eisiau chwarae bob nos, ond ar ôl cael taflu un waith roedd yr hen bobol eisiau chwarae yn erbyn ei gilydd. Chwarae teg i Ewyrth John yn y gornel, byddai bob amser yn dweud wrthynt, 'Rhowch y rings i'r un bach gael cynnig.' Ond doedd dim yn tycio. Yna byddwn yn sbeitio'r lot gan ddwyn y rings a rhedeg i guddio o dan y bwrdd mawr. Diwedd y gân fyddai i Bet ddod o'r cefn gan fy hanner-llusgo i ymolchi ac i'r gwely. Fe allwn i fod wedi chwarae rings gystal â nhw bob tamaid, ond dim ond Ewyrth John oedd yn credu hynny.

Roedd Ewyrth John yn hen iawn ac yn pwyso ar ei ffon o hyd wrth gerdded. Byddai weithiau â losin yn ei boced ond chawn i'r un os na wnawn i eistedd wrth ei ymyl. Weithiau byddai'n well gen i heb y losin gan ei fod yn torri gwynt a phoeri baco i'r tân a drifls brown o gylch ei geg.

Bob tro y byddai Tanto neu Wncwl Jac yn fy ngweld ar y ffald byddent yn cydio mewn dyrnaid o'm gwallt ac yn dweud, 'Rwyt ti fel merch fach', neu 'Dere i ni gael torri dy wallt'. Ni chymerwn fawr ddim sylw ohonynt gan fod pobol fawr mor aml yn dweud pethe od! Un diwrnod, fodd bynnag, roedd Mam a Dad i ffwrdd a Bet i fyny'r llofft yn rhoi Beti fy chwaer i gysgu. Roedd honno eisiau cysgu bob amser ar ôl cinio. Yn sydyn dyma Tanto yn tynnu allan lond paced o losin Cachu Llygod Llunden ac yn eu cynnig i fi – ond i fi eistedd ar gornel y bwrdd. Bûm wrthi'n bwyta am dipyn tra bu Wncwl Jac yn chwarae yn fy ngwallt gyda'i siswrn. Roedd darnau o wallt yn disgyn ar y llawr a Tanto a finne'n cael hwyl gyda'r bwyta, ac am unwaith roedd y ddau mewn hwyliau da. Ond fel yr oedd Wncwl Jac yn dweud 'Dyna ti', dyma gysgod yn y drws, a phwy oedd wedi dod 'nôl ond Mam. Pan welodd beth oedd wedi digwydd dyma hi'n crio dros bob man. Aeth y ddau arall allan gan edrych yn union yr un fath â Fflei wedi i honno gael ei dal yn y llaethdy. Yna daeth Bet o rywle ac roedd honno'n crio hefyd a bu'r ddwy yn hel y gwallt oddi ar y llawr a'i osod mewn bocs a finne'n ceisio gorffen y losin. Rown i'n meddwl tan y bore hwnnw mai dim ond babis oedd yn crio. Flynyddoedd wedyn fe wnes i ddod ar draws y gwallt melyn cwrl mewn bocs ffigys yn nrôr y ddresel. Mam, mae'n debyg, oedd am ryw reswm wedi penderfynu ei gadw.

Pan na fyddai llawer o bobl o gwmpas byddwn yn mynd yn dawel gyda thalcen y stabal a heibio cornel yr ardd ac at yr afon. Lle da am hwyl oedd yr afon. Byddwn yn cerdded i mewn ac yn sefyll yno dros fy ngliniau yn y dŵr gan chwerthin wrth weld fy nghoesau yn edrych yn gam. Dro arall, byddai pysgodyn bach yn gwibio i guddio o dan garreg. Ond ar ôl ymdrechu i symud y garreg fyddai dim sôn amdano a byddwn yn gorfod rhoi'r gorau i geisio'i ddal. Hen bethau oer oedd dillad gwlyb a byddwn yn gorfod eu tynnu i ffwrdd er mwyn cael rhagor o hwyl. Fyddai'r hwyl byth yn para'n hir iawn cyn i Bet ddod i'r golwg. A dyna hi wedyn yn dwrdio a bygwth a minne'n gorfod ei dilyn hi ar hyd y llofftydd am awr neu ddwy.

Roedd hi'n nesu at amser cneifio a phawb yn brysur – Mam a Bet yn papuro ar y llofft, Jac Sais yn gwyngalchu'r beudy a'r dynion eraill yn torri rhedyn gwyrdd. Gwyddwn bob blwyddyn fod cneifio ar fin cyrraedd oherwydd roedd lot o bobol yn dod â chesig i'r ffald at Billy Boy. Ceffyl melyn a chanddo draed gwynion oedd Billy Boy a gallai drotian yn gyflym. Byddai gweryru mawr a sŵn yn ystod yr adeg yma a'r ceffyl ar gefn un o'r cesig. Yn rhyfedd iawn, ar ôl y tymor hwn, byddai Nhad yn mynd o'i go pe byddai Billy'n ceisio neidio ar gefn caseg. Teimlwn fod hyn yn annheg, a byddwn yn dweud hynny wrtho, ond troi'r stori wnâi Nhad bob tro y gofynnwn pam.

Cefais syniad da un diwrnod ar ôl gweld Billy'n perfformio. Gofynnais i Ewyrth John dorri gwialen gref i mi a ffeindio darn o gortyn. O'r cortyn lluniais benffrwyn a bûm yn arwain y wialen o gwmpas gan ddweud wrth bawb fod Billy Boy wedi cyrraedd.

Un dydd fe wnes fynd heibio talcen yr ardd ac i lawr yr afon yn bellach nag arfer er mwyn cael bod o olwg pawb. Fel yr oeddwn i'n cerdded i'r dŵr dyma fi'n clywed lleisiau plant. Ond doedd neb ar y ffordd. Ychydig yn is i lawr roedd adeilad tebyg i dŷ, ac yn ddios oddi yno y deuai'r sŵn. Yn rhyfedd iawn, nid oeddwn wedi sylwi ar yr adeilad hwn o'r blaen. Y tebyg yw fod Bet wedi fy nal cyn i mi fedru cyrraedd yno yn y gorffennol. Mentrais at y drws agored ac edrych i mewn; roedd y lle yn llawn o blant. A phwy oedd yn pwyntio at ryw fwrdd oedd ar ei echel ond Miss Davies. Cerddais i mewn at griw o blant oedd yn chwarae ar y llawr gyda phob math o geriach – llawer iawn mwy nag oedd gan Mam adre. Bûm yno drwy'r dydd a phob dydd am flynyddoedd wedyn. Yn rhyfedd iawn, ni ddaeth Bet i'm nôl i adre byth wedyn.

Mynd i'r Ysgol

Doedd yr ysgol ddim cystal ag yr oeddwn i wedi meddwl ar y cychwyn. Roeddwn i wedi arfer rhedeg tipyn o gwmpas yn ystod y bore ac os byddai trowsus y pyjamas yn llithro at fy nhraed, byddwn yn ei daflu i ffwrdd rhag i fi faglu ar lawr. Yna byddwn yn dal i redeg o gwmpas.

Awn i'r llaethdy lle byddai Bet yn troi'r separator rownd a rownd heb stopio. Wrth ymestyn ar flaen fy nhraed medrwn edrych i mewn i'r badell bridd ruddgoch a ddaliai'r hufen. A phan na fyddai Bet yn edrych, gwthiwn fy mys i mewn a phrofi'r hylif tew, melyn. Mewn eiliad, bron, byddai ton yr hufen oedd yn disgyn yn cuddio ôl fy mys, a gallwn fynd allan heb fod Bet ddim callach.

Ar ambell fore byddai Mam wedi anghofio gosod y trawstiau yn y rhigol i'm hatal rhag mynd i mewn i'r gegin fawr a medrwn sleifio'n dawel a chuddio yn y twll tan y ddreser. O'r fan honno, pan fyddai Mam â'i chefn tuag ataf, llithrwn drwy'r drws agored i'r pasej ffrynt a thu ôl i'r stondin dal ffyn ac ambaréls. Oddi yno medrwn weld i mewn i'r parlwr lle byddai Miss Davies a Davies y Riwins yn bwyta brecwast. Byddent bob amser yn sgwrsio'n dwp a ni fedrwn eu deall. Rhyfedd fod rhywun fel yna yn cael dysgu plant.

Byddai Mam bob amser yn gosod cadair yn erbyn drws y pasej er mwyn cael cario bwyd yn ôl ac ymlaen o'r gegin i'r parlwr, a medrwn ddianc yn ôl yn hawdd ac allan i gefn y tŷ. Weithiau, wrth i mi sefyll y tu allan, deuai Tanto neu Jac Sais â dau fwced yn orlawn o laeth o'r beudy, yr ewyn yn gwthio i fyny dros yr ymylon. Fel y byddent yn pasio, byddwn yn cydio mewn dyrnaid o'r ewyn a rhedeg rownd talcen y tŷ pair. Yna byddwn yn cau'r ddwy law am yr ewyn gan adael ychydig o le rhwng y bysedd. Wedyn byddwn yn chwythu, ac wrth wneud hynny'n araf bach, deuai cawod o swigod gwyn allan. Ond ni fyddent yn para'n hir iawn. Unwaith, aeth un dros do'r sièd ac i Gae Cefn Tŷ. Bob tro y byddwn yn gwneud hynny byddai Fflei yn dod ac yn lluo fy mysedd yn lân. Ambell waith byddai'n difetha'r gêm drwy wthio'i thafod i'm llaw cyn i fi gael cyfle i chwythu.

Ond unwaith i mi ddechrau yn yr ysgol daeth terfyn ar lawer o'r hwyl. I gychwyn, roeddwn i'n gorfod ymolchi ddwywaith y dydd. Yn y nos, byddai naill ai Mam neu Bet – neu hyd yn oed Nhad weithiau – yn fy ngosod mewn padell fawr yn llawn dŵr o flaen y tân. Fyddai hynny ddim yn ddigon gan y byddent yn rhoi rhywbeth yn y dŵr a phan ddown i allan fe fyddai fy mhen-ôl ar dân ac yn goch i gyd. Ychydig o flynyddoedd wedyn y dois i wybod beth oedd yr hylif melyn poeth yn y dŵr. Potel fach fflat ar ffurf llyfr a'r llythrennau *D-e-t-t-o-l* arni. Dim ond rhyw ddiferyn bach fyddai'n cael ei ddefnyddio ond byddai tin rhywun ar dân am hanner awr wedyn.

Yna, yn lle cael gwylio'r hwyl i lawr yn y gegin, yr un hen stori gawn i bob nos: 'Dere nawr, neu fe fyddi di wedi blino gormod i fynd i'r ysgol fory i chwarae.' Hen dric dan-din yn lle mod i'n cael chwarae rings, ac er mwyn iddyn nhw gael siarad ar dop eu lleisiau oedd hwnnw. Mae rhyw arfer dwl gan bobol fawr i siarad yn ddistaw pan fo plant yn y cwmni ac i sibrwd un wrth y llall. Dim ond chwarae oeddwn i ei eisiau – doeddwn i ddim am wrando ar eu hen sisial gwirion beth bynnag.

Roedd Miss Davies yn od iawn hefyd ar ôl i mi ddechrau mynd i'r ysgol. I ddechrau byddai'n mynd bob bore o'm blaen ac yna'n rhoi rhyw wên fach dwp fel pe na byddai am ddangos ei bod hi'n gwenu pan fyddwn yn cyrraedd. Yna, pan fyddai William neu Dic yn dwyn clai oddi arnaf, ni fyddai hi byth bron yn fy helpu nac yn dwrdio'r ddau arall am fod mor ddigywilydd. Dywedais yr hanes wrth Mam fwy nag unwaith a dweud wrthi am beidio â rhoi brecwast iddi am ei bod hi mor ddi-sut wrtha i. Ond dim ond gwenu a wnâi honno a throi at rywbeth arall.

Deuthum adref o'r ysgol unwaith a gweld Doctor Davies yn siarad â Dad wrth y drws cefn a hen fag bach rhyfedd ganddo. 'Paid ti â rhedeg ar hyd y llofft a chadw sŵn heno,' meddai wrtha i. 'Rho gyfle i dy fam a'r babi gael cysgu.' Babi arall! Doedd neb wedi sôn dim am y peth wrtha i cyn i fi fynd i'r ysgol y bore hwnnw. Rhaid bod y doctor wedi dod ag e yn y bag rhyfedd oedd ganddo yn ei law. Cyn i mi fedru holi dim yn rhagor dyma Bet yn cydio yn fy llaw ac yn dweud, 'Dere i weld y babi.' A ffwrdd â ni i'r llofft. Yno yn y gwely, wrth ochr Mam, roedd babi bach, bach, ei ddwrn ynghau, golwg gas arno a'i wyneb fel hen daten yn rhychau i gyd. 'Dwed helô wrth dy chwaer newydd,' meddai Mam. A chollais bob diddordeb yn syth. Fferm fawr a Mam a Dad wedi nôl chwaer arall! Brawd oedd eisiau arna i; rhywun i chwarae gydag e, a mynd i'r ysgol gyda'n gilydd! Pe byddai Dic yn dwyn clai oddi arna i wedyn, byddai dau ohonom i roi cosfa iawn iddo fe! Anodd iawn yw deall meddwl pobol mewn oed weithiau!

Heb i fi sylwi bron, neu efallai am fy mod yn yr ysgol, y deuthum yn ymwybodol fod Beti, fy chwaer, wedi tyfu peth ac yn cerdded o gwmpas ac yn barod i chwarae weithiau. Roedd hi o hyd yn debygol o grio wedi syrthio'n sydyn neu pe bawn i'n tynnu ei gwallt wrth chwarae. Ond ambell dro caem dipyn o hwyl. Erbyn i wyliau'r haf gyrraedd byddai Beti a fi'n treulio aml i awr yn yr ardd ffrynt tra byddai Mam a'r forwyn newydd – am ryw reswm roedd Bet wedi gadael yn ystod y gaeaf – yn godro. Pan fyddai'r tywydd yn braf, Mam a'r forwyn fyddai'n godro tra byddai'r dynion wrthi'n hel gwair. Gadewid y babi yn y pram o flaen y beudy. Mae'n siŵr fod Mam yn gweld fy mod i'n tyfu lan oherwydd un noson dyma hi'n gadael Glenys – dyna enw'r babi newydd – yn y pram yn yr ardd ffrynt ac yn dweud wrtha i am weiddi pe byddai'n dechrau crio.

I gychwyn, roedd pethau'n mynd yn iawn, a Beti a fi yn chwarae a'r babi'n cysgu. Yn sydyn, fel y byddech yn disgwyl gyda babi sbeitlyd, dyma Glenys yn crio ar dop ei llais gan stopio'r chwarae. Fe wnes i fynd at y pram a dechrau ysgwyd fel y gwelswn Mam yn ei wneud. Ac yn wir, cyn pen dim, dyma'r crio'n peidio. Rown i'n gweld ar wyneb Beti ei bod hi wedi synnu fy mod i mor ddeallus a cherddais yn fras yn ôl i chwarae. Ond fel yr oeddem am ailddechrau, dyma'r crio'n ailddechrau hefyd. Fe ddaeth Beti yn ôl at y pram gyda fi y tro hwn a dyma'r ddau ohonom yn dechrau ysgwyd. Dyw merch ddim fod i symud pwysau ac fe aeth rhywbeth o'i le oherwydd fe drodd y pram drosodd. Fe dawelodd y crio ond doedd dim sôn am y babi! Buom yn chwilio yn y dillad am ychydig ond methu â chael hyd iddi, a Beti'n chwerthin. Am ryw reswm trodd y chwerthin yn grio nes i Mam gyrraedd ar ras a throi'r pram yn ôl ar ei draed. Ni chafodd Beti a fi warchod y pram am rai blynyddoedd wedyn.

Dyna broblem pobol fawr – fyddan nhw byth yn rhoi ail gyfle i chi os aiff rhywbeth o'i le. Fe fyddwn i'n hoffi mynd i'r beudy amser godro pryd y cawn yfed paned o laeth yn syth o deth y fuwch. Dyna'r llaeth gorau sy'n bod. Unwaith y byddai Mari'r forwyn wedi gorffen godro'r fuwch drwyn-ddu wrth ochr Gwenhwyfar y fuwch froc, cawn roi llaeth i'r cathod a byddent yn ymladd am y cyntaf i gael eu pennau i'r ddysgl. Ambell waith byddwn yn arllwys llaeth â ffroth ar hyd eu pennau a'u clustiau. Byddai Mari'n chwerthin wrth weld hyn ac yn gadael i fi roi ychydig yn rhagor iddynt. Beth bynnag, fel arfer, daeth terfyn ar yr hwyl un noson – a Mari â thri-chwarter bwcedaid o laeth – pan ofynnais a gawn i roi cynnig ar odro. Cefais eistedd wrth ei hochr ar y stôl deirtroed a chael cydio yn nheth flaen y fuwch, y deth nesa ataf. 'Gwasga a thynnu ychydig bach ar yr un pryd,' meddai Mari. A dyma gic. Aeth y bwced un ffordd a finne'r ffordd arall gan rowlio yn y sodren. Roeddwn yn wlyb drosta i o laeth a rhywbeth gwaeth a drewi cas arno ar fy nillad i gyd. Fel arfer, ces fy llusgo i'r tŷ, fy nhaflu i'r bath a doedd dim rhagor o hwyl yn y beudy. Ar Mari oedd y bai – pe bai hi wedi dewis y fuwch fach goch, fydde honno byth wedi cicio.

Pan es i 'nôl i'r ysgol ar ôl gwyliau'r haf, roedd popeth wedi newid. Roeddwn yn gorfod eistedd mewn desg wrth ochr Charles Cornwal a dysgu popeth. Bu Charles yn ffrind da am flynyddoedd ac ar ôl gadael yr ysgol bu'n gweithio ar y fferm i Nhad. Cofiaf yn dda gael tasg gan Miss Rees rhyw fore ar ôl cyrraedd y dosbarth mawr, sef ysgrifennu llinell â'r gair 'ffermwr' i'w gynnwys ynddi. Lluniodd Charles y llinell anfarwol, 'Dyn prydferth yw'r ffermwr yn ei ddillad gorau,' a chael clusten am ei ymdrech. Heddiw gallaf weld yn hollol glir sut y daeth i ysgrifennu'r fath gampwaith.

Darllen, syms a sgrifennu oedd trefn pethe, a hynny drwy'r dydd ar wahân i amser chwarae. Rown i'n casáu amser darllen gan y byddai Miss Davies yn eistedd wrth fy ochr â'i bys yn rhedeg o un pen i'r dudalen i'r llall. Byddai ei phen-ôl yn llanw'r ddesg a chawn fy ngwasgu i'r gornel lle byddwn bron â mygu, yn ceisio darllen hen lyfrau digon diflas. Yn waeth na dim, roedd rhyw hen wynt powdwr dros ei dillad i gyd yn gwneud i mi eisiau chwydu. Cofiaf chwilio am ryw lyfryn rywbryd yn ddiweddarach a dod ar draws mothball a sylweddoli beth oedd yr arogl rhyfedd ar ddillad Miss Davies.

Nid oedd iard i'r ysgol a byddai Nhad yn fodlon i ni blant fynd i lawr i'r dolau wrth lan afon Teifi i chwarae. Yn ystod y gaeaf pan fyddai'r afon yn rhewi byddai'n anferth o hwyl i sglefrio ar yr afon. Bryd hynny byddai'r merched a'r bechgyn yn sglefrio am y gorau. Ambell dro byddai un o'r merched yn syrthio ar y rhew nes byddai pen-ôl ei blwmer yn yfflon. Byddem hefyd yn croesi'r afon at yr hen lynnoedd golchi mwyn yn Bronberllan gan sglefrio'n ôl ac ymlaen nes clywed chwiban Miss

Rees wrth ddrws yr ysgol. Heddiw gallaf weld y perygl ond, trwy lwc, dod 'nôl yn holliach fu ein hanes bob tro.

Wrth fynd at yr afon byddem yn pasio'r tai bach. Y bechgyn ar yr ochr agosaf at yr ysgol a'r merched ar yr ochr draw. Pe byddai'r bechgyn am gael ffeit, byddem yn mynd i mewn i iard y tai bach allan o olwg y ddwy athrawes. Un tro aeth yn gynnen rhwng William Tyncwm a finne ynghylch pwy oedd yn berchen ar goncer a gawsom ar lawr, a rhaid oedd setlo'r mater o fewn waliau'r tai bach. Buom wrthi yn hir nes i'r gloch ganu a phawb yn clapio. Roedd trwyn William yn goch reit ac roedd gen inne un dant yn siglo'n rhydd fel cynffon buwch. Soniodd un o'r merched wrth Miss Rees a chafodd William a finne fonclust yr un i ychwanegu at ein briwiau. Fedrech chi byth drystio merched i gau eu hen gegau mawr yn yr ysgol!

Dyddiau Dysgu

Erbyn hyn roedd babi arall yn y tŷ ond roedd Nhad a Mam wedi bod yn ddigon call i gael bachgen y tro hwn a rhoi enw bach hawdd fel Dai arno. Fi oedd â'r cyfrifoldeb o fynd â Beti i'r ysgol bob dydd, a byddai hi'n dod yn dawel braf nes cyrraedd y drws. Yna fe fyddai'n ceisio troi'n ôl, ond fe fyddwn i'n rhy gyflym iddi bob tro, a châi hwb i mewn i'r lobi lle byddai Miss Rees yn ein gweld. Doedd dim gobaith ganddi ddianc wedyn.

Tua'r adeg yma dyma Miss Davies yn ymddeol. Er mawr syndod i mi ni ddaeth athrawes arall yn ei lle, gyda Miss Rees yn gofalu am y plant i gyd. Dim ond un stafell oedd i'r ysgol, a honno wedi'i rhannu i lawr y canol i'w thorri'n ddau ddosbarth. Ym mhen pellaf y stafell roedd tân glo fyddai'n cael ei gynnau yn y bore naill ai gan Lisi neu Ann Olfir, dwy chwaer a fu'n ofalwyr drwy gydol fy nyddiau ysgol. Byddai bwcedaid anferth o lo wrth ochr y tân er mwyn cynnal y gwres drwy'r dydd a châi'r plant hynaf bob yn ail fynd i osod talpiau gyda'r efail bres a oedd bob amser yn hongian wrth ochr y ffender. Roedd tair ffenest ar un ochr i'r stafell yn edrych allan i'r fynwent ac un yn y wal gyferbyn yn wynebu ein gardd ni. Ambell dro byddai Jac Sais neu Gordon yn dod â llwyth whilber o chwyn heibio'r ffenest a byddwn yn chwifio'n nwylo arnynt a'r plant eraill i gyd yn chwerthin.

Wrth dalcen yr ysgol roedd tŷ'r elor, a phob tro y

byddai angladd ni chaem fynd allan i chwarae ganol y pnawn. Oherwydd hynny doedd neb o'r plant yn hoffi angladdau.

Byddai Miss Rees yn symud yn gyson o un dosbarth i'r llall gan ddefnyddio dau fwrdd du – un o flaen y plant lleiaf ac un i ninne'r dosbarth iau. Yn aml byddai'n gwneud i fi deimlo'n anghysurus, yn enwedig pan fyddai â'i chefn ataf ac eto, rywfodd, yn gallu gweld fy ffrind, sef Charles Cornwal, a fi yn edrych o gwmpas. Dro arall, a ninne allan o i gyd o gwmpas y piano yn ymarfer canu a finne'n ddiflas yn y canol fe fyddai'n troi oddi wrth yr offeryn ac yn dweud wrtha i, 'Pam nad wyt ti'n canu gyda'r lleill?' Byddwn yn mynd yn goch reit a dweud dim wrthi. Nid oeddwn am ddweud bod Ewythr Sianco wedi dweud wrtha i, 'Adroddwr fyddi di, siŵr gen i.' Ond daeth hithau i ddeall ar ôl hynny nad oeddwn am ganu a byddwn yn cael ganddi ryw swyddi pwysig fel gosod y llyfrau i gadw neu glirio'r bwrdd du tra byddai'r gweddill o gylch y piano. Y canu fyddai'r peth olaf bob prynhawn cyn mynd adre a byddem yn ysu, yn enwedig yn yr haf, am yr amser penodedig pan fyddai Miss Rees yn ein gadael i lifo allan drwy'r drws.

Erbyn hyn roedd Glenys fy ail chwaer wedi rhyw ddechrau dod i'r ysgol yn y pnawn a chawn bob math o drafferth i'w pherswadio i ddod adre gan y byddai wrth ei bodd yn chwarae â chlai a gwahanol geriach eraill oedd yno ar gyfer y babanod. Wrthi'n ei llusgo yn ôl oeddwn i un prynhawn yn nechrau Mehefin pan welais, wrth droi cornel y gweithdy, un o'r ceffylau harddaf a welais erioed ar ganol y ffordd. Roedd ei bedolau yn codi gwreichion o'r llawr wrth iddo droi o gwmpas a bob hyn a hyn byddai'n gweryru'n uchel ac yna'n ceisio cnoi braich ei berchennog. Eisteddai hwnnw'n gysurus braf ar gefn merlen fechan yn siarad â Nhad heb gymryd unrhyw sylw o stranciau'r ceffyl.

Penderfynais ar unwaith mai ceffyl fel hwn fyddwn i'n ei gael pan dyfwn yn fawr. Roedd ei gorff o liw broc gyda phedair coes wen a'r gwyn yn uchel i fyny ar y rhai ôl, a bacsiau gwyn cyrliog ganddo. Ymestynnai bali gwyn llydan o'i dalcen i lawr at ei ffroen ac roedd darn gwyn hefyd ar draws ei fol. Estynnai crwper lledr o'i gynffon at strapen lydan am ei gefn a ffrwyn gyda byclau o bres am ei ben. Ynghlwm wrth y strapen am ei gefn roedd pecyn bychan mewn sach fechan debyg i'r un y byddai hadau swêj yn dod ynddi bob gwanwyn. Gwelswn sach debyg hefyd gan Ifan John, Teifi Street. Byddai'n cadw ei fferet ynddi.

Fel arfer, a finne'n mwynhau edrych a beirniadu'r ceffyl, dyma Nhad yn fy nanfon i a Beti a Glenys i'r tŷ. Deallais wrth Mam mai Dafydd Rees o Benuwch oedd y dyn ac mai enw'r march oedd Brenin Gwalia. Bu Mr Rees acw lawer tro wedyn a chyda chobiau eraill, ond ni fu ganddo un tebyg i'r Brenin. Bûm wrthi am weddill yr haf yn marchogaeth un ffon ac yn arwain un arall, a phob tro y byddai Davies y Riwins yn gofyn, 'I ble rwyt ti'n mynd â'r march heddi?' yr un fyddai'r ateb bob tro – 'I Abergwesyn siŵr iawn.' Buaswn wedi gadael yr ysgol yn llawen yr adeg honno i gael dilyn march.

Pan ofynnwn i Mam pam oedd yn rhaid i fi fynd i'r ysgol, yr un ateb a gawn bob tro, 'Er mwyn i ti fedru darllen, ysgrifennu a gwneud syms ac efallai mynd yn dy flaen i'r coleg rhyw ddiwrnod.' Yn amlwg, doedd Mam ddim yn gwybod rhyw lawer am ysgol oherwydd roedd Miss Rees am i mi actio, arlunio, dawnsio gwerin, ymarfer corff, cymryd rhan mewn cyngerdd a phob math o weithgareddau eraill. Dywedais wrthi unwaith mai dim ond darllen, ysgrifennu a gwneud syms oedd Mam eisiau i fi wneud, a dyma hi'n rhoi pwniad i fi yn fy nghefn. Wnes i ddim sôn am y peth wrthi byth wedyn.

Bron cyn i dymor yr haf orffen dyma Miss Rees un prynhawn yn dod â'r holl offer band i mewn ac yn datgan ei phenderfyniad i fynd â thri chwarter yr ysgol i garnifal y pentre. Am bythefnos bu Charles fy ffrind a minne'n chwarae bob i ddrwm nes byddai'r paent weithiau'n tasgu i ffwrdd oddi ar y metel. Buom un prynhawn yn ôl a blaen ar hyd y dolau ger yr afon yn martsio, pob un yn cadw step a chadw i chwarae neu ddrymio yr un pryd. O'r diwedd roedd yn ddiwrnod y carnifal a phopeth wedi ei drefnu. Car Miss Rees yn mynd â'r plant lleiaf i lawr i'r pentre a char Ieuan Pantyfedwen yn cario taclau'r band. Roeddem i gyd i gyfarfod wrth y moniwment ac yna yn Neuadd yr Eglwys i newid ein dillad. Yno cafodd pob un wisg arbennig wedi ei gwneud o bapur. Wrth wisgo aeth troed Dai Twm drwy goes ei drowser a bu'n rhaid cael rhagor o bapur gyda phob un ohonom yn gorfod aros yn llonydd nes roedd Miss yn barod i symud i ffwrdd. Roedd Charles a fi â'n drymiau wedi eu strapio am ein boliau ac yn gwisgo trowser a chot bapur liwgar. Cefais ryw ddarn o bapur wedi ei beintio ar ffurf croen llewpart hefyd yn ymestyn o'm hysgwydd bron at fy mhen-glin. Ffwrdd â ni wedyn i iard y Red Leion lle'r oedd y ficer ar ben y wal â chorn gweiddi ganddo yn rhoi ordors i bawb. Y ni fel band oedd i arwain y carnifal ac ar y funud dyngedfennol dyma ni bant gyda phawb yn clapio a gweiddi. Collodd Dic ei damborîn cyn iddo groesi'r bont. Ond roedd gwaeth i ddod. Erbyn i ni gyrraedd Siop Ifan Huws roedd y glaw'n disgyn ac erbyn cyrraedd hanner y ffordd i fyny Terrace Road dim ond y drwm a phâr o drôns oedd yn fy nghadw rhag bod yn noethlymun. Wrth ddod yn ôl i lawr y stryd cawsom ein stopio wrth y moniwment ac i mewn â ni i'r neuadd i hel ein dillad. Fu fawr o flas ar y carnifal am weddill y prynhawn ac ni fu band gyda ni fel ysgol byth wedyn. Hwn hefyd oedd carnifal ola'r pentre am flynyddoedd lawer gan i'r Rhyfel roi terfyn ar bob chwarae.

Cychwynnodd y tymor nesaf mewn ffordd anarferol iawn gyda Doctor a Nyrs yn ymweld â'r ysgol i roi brechiad i bob un o'r plant. Gadawodd brechiad y Cowpoc farc arhosol ar fraich pob un ohonom. Gan mai adeilad un stafell oedd yr ysgol fe fyddai pob un ohonom yn gwylio'n gilydd gan aros yn ddisgwylgar i rywun ddechrau crio. Fe wnaeth sawl un o'r merched hynny ac fe waeddodd un neu ddau o'r bechgyn yn uchel. A bu am y dim i Milwyn regi! Roeddwn i'n gwisgo siwmper a gorfod i fi dynnu honno yn ogystal â'm crys a phan oedd yr hen nyrs yn dal fy mhen yn ôl yn erbyn cefn y stôl, teimlwn fel mochyn ar ddiwrnod ei ladd gydag Alf, y gwas mawr, yn dal pen y mochyn i fyny i Ewyrth Morgan ei drywanu. Roedd y doctor hefyd yn crafu'r croen yr un fath â chael y blew i ffwrdd oddi ar gnawd y mochyn. Bu am y dim i fi grio. Ar y diwedd cafodd pawb baned o de ac yna cael mynd i lawr at yr afon i chwarae. Ond ar ôl mynd yno roedd pawb yn rhy sâl a phoenus i wneud dim ond eistedd yn dawel. Dechreuodd Ifan Defi

Bronberllan weiddi a rowlio ar y llawr nes iddo ddisgyn i'r afon a'i ddillad yn wlyb diferol. Bu adre am ddeuddydd wedyn a phan ddaeth yn ôl i'r ysgol roedd e'n bostio mai actio roedd e a thrwy hynny wedi cael gwyliau o'r ysgol!

Dyma'r tymor pan benderfynodd Miss wneud bwyd i ni ganol dydd ar yr amod ein bod ni i gyd i ddod â phlatiau, basin a chyllell a fforc yr un gyda ni i'r ysgol. Nid oedd yna gogyddes na chegin bwrpasol at y gwaith. Byddai Miss Rees yn paratoi cinio yn ystod amser chwarae'r bore. Yn aml byddai Mam yn cyfrannu darn o gig, tatws a swêj a gwyddem y caem naill ai gawl neu stwmp a chorn bîff. Ar y dyddiau pan mai cawl oedd y wledd byddwn yn defnyddio basin a gefais gan Mam-gu, un gwyn â blodau coch a melyn arno. Y broblem oedd y byddai'r cawl yn chwilboeth ac un dydd aeth Charles Cornwal a finne allan gan roi pen-ôl y ddau fasin yn y nant a oedd yn rhedeg heibio'r ysgol. Rhaid bod y dŵr yn oer gan i waelod y ddau fasin gracio a disgyn i ffwrdd a'r cawl yn diflannu lawr y nant. Bu'n rhaid i'r ddau ohonom fynd heb ginio wedyn er i William Tyncwm gynnig taten i fi ar y slei.

Erbyn hyn roeddwn yn gorfod dysgu llawer mwy ac yn cael gwaith cartref bron bob nos. Gan fy mod yn byw mor agos at yr ysgol, cawn amser digon caled gan fod Miss yn medru galw heibio i siarad â Mam os oedd y gwaith heb ei orffen neu heb fod o'r safon angenrheidiol. Bron bob bore ar ôl marcio'r gwaith cartref caem destun i ysgrifennu arno a disgwylid i ni fod wedi gwneud o leiaf ddeg llinell erbyn y deuai Miss Rees o amgylch am yr eildro. Byddai Charles bob amser yn ysgrifennu fel baglau brain, a'i resymeg dros wneud hynny oedd na fedrai neb wybod yn iawn wedyn os nad oedd ei sillafu yn gywir. Rhaid adrodd eto ei linell anfarwol i'r ffermwr: 'Dyn prydferth yw'r ffermwr yn ei ddillad gorau', pryd y cafodd ddwrn Miss Rees yng nghanol ei gefn. Teimlaf o hyd iddo gael ei ddyrnu ar gam oherwydd bod y ffermwyr yn hollol wahanol mewn angladd ac ar y Sul i'r hyn yr edrychen wrth basio mewn cert neu wrth yrru gwartheg. Hoff dric Miss yn aml, os na fyddem yn gweithio, oedd ein cadw ni i mewn dros amser chwarae a'n gorfodi i wneud gwaith merched fel troi'r cawl ar y tân neu lanhau tatw. Ni fyddai'r un o'r bechgyn am lanhau tatw fwy nag unwaith nac am droi'r cawl chwaith.

Yn aml adeg amser chwarae deuai Twm Ffatri i fyny ar ei feic o'r pentre a byddem yn llygaid i gyd pan fyddai'n reidio yn ôl ac ymlaen drwy'r afon. Ambell dro câi rhai o'r bechgyn gynnig reid ar ei feic ond yna byddai'n ei gipio'n ôl yn sydyn ac yn ei lanhau gyda'i hances boced. Fel arfer deuai Miss Rees i wybod am hyn ac un diwrnod dyma hi'n dod lawr at yr afon ac yn gyrru Twm i ffwrdd. Y cyfan wnaeth Twm oedd cilio rhyw drigain llath oddi wrthym ac yna reidio mewn cylch mawr rownd a rownd i Miss a ninne.

Toc wedi hynny dechreuodd ddod i edrych arnom drwy ffenest yr ysgol o ochr y fynwent ac am tua mis cawsom hwyl fawr. Yn sydyn byddai'n ymddangos yn y ffenest ond bob tro byddai Miss yn troi i edrych, byddai Twm yn plygu lawr. Dro arall fe wnâi aros i syllu arni neu redeg i guddio y tu ôl i un o'r cerrig beddau. O dipyn i beth aeth yn fwy haerllug a bu'n rhaid cloi drysau'r ysgol. Yna byddai'n rhedeg o un ffenest i'r llall ac yna'n mynd dros wal y fynwent i'r ardd gan edrych i mewn drwy'r ffenest fawr yr ochr honno. Tynnai wynebau weithiau gan wneud i'r babanod ddechrau crio ond byddem ni'r rhai hŷn wrth ein bodd yn gweiddi, 'Co fe, Miss!' neu 'Mae e yn y ffenest arall nawr!' Bu hwn yn un o'r cyfnodau gorau am hwyl yn yr ysgol a'r bechgyn i gyd wrth eu bodd. Daeth diwedd ar hyn fel popeth arall gyda Twm yn diflannu'n sydyn. Ni welsom fyth mohono wedyn nac ar y ffordd nac wrth yr ysgol.

Efallai mai'r diwrnod mwyaf hwyliog – neu'r un gwaethaf oll – oedd pan ddeuai'r tynnwr dannedd i'r ysgol. Hen ddyn cas yr olwg a phwysig dros ben oedd hwn yn dod gyda nyrs â choesau main a thrwch o liw o gwmpas ei cheg. Byddai'r bechgyn hynaf yn helpu i gario'r gadair fawr a'r holl offer i mewn. Weithiau câi Dic John afael ar ryw binsiwrn neu'i gilydd a byddai'n defnyddio hwnnw i binsio pen-ôl un o'r merched yn slei wrth fynd heibio. Caem fynd ymlaen un ar ôl y llall ac eistedd yn chwys i gyd yn y gadair. Synnwn weithiau wrth edrych i fyny a gweld mor felyn oedd dannedd y deintydd ei hun. O'i glywed yn dweud rhywbeth fel, 'Olreit nyrs,' byddwn yn wên i gyd ac edrychwn ymlaen at yr hwyl o wylio'r lleill yn gwelwi a gwingo wrth i'r meistr sarrug ymladd i gael dant yn rhydd. Un tro cychwynnodd ar Henri Tŷ Ucha gan roi pigiad eger iddo. Daeth yntau'n ôl i'w sedd yn goch ac yn ddiflas i aros ei dynged. 'Mae e'n siŵr o grio,' meddai Charles wrtha i. 'Fe fuodd e bron â gwneud wrth gael pigiad.' Galwyd Henri'n ôl, druan, i'r gadair fawr a chychwynnodd yr ymladdfa. Bu'r deintydd yn tynnu a thynnu, a Henri'n goch fel twrci ond yn dal heb grio nes o'r diwedd fe wnaeth dant fel dant hwrdd ddisgyn i'r badell. Y noson honno darganfu ei fam fod Henri wedi colli dant iach a bod y dant poenus yn dal ar ôl. Ni fu Henri yn y gadair fawr byth wedyn.

Soniais am hyn wrth Dai Caemadog y Sadwrn canlynol pan es yno i'w helpu i gael y defaid i mewn ac adroddodd yntau hanes Ianto ei frawd yn mynd i dafarn y Cross Inn yn Ffair Rhos i gyfarfod â Niclas y Glais. Mae'n debyg ar yr adeg honno fod Niclas yn ymweld â gwahanol ganolfannau yn Sir Aberteifi i dynnu dannedd. Ar y diwrnod arbennig hwn penderfynodd fod angen tynnu un o ddannedd Ianto, a hwnnw â gwraidd fel coeden iddo, yn ôl Dai ei frawd. Yn ôl haeriad Ianto, roedd Niclas wedi ei lusgo deirgwaith o gwmpas y bar wrth geisio diwreiddio'r dant. Wedi hir dynnu a llusgo, disgynnodd y dant o'r diwedd i'r badell a oedd yno ar gyfer y pwrpas ac yn ôl Dai bu'n rhaid i'w frawd ofyn i Niclas fynd i boced Ianto i nôl arian am ei fod yn rhy wan ac yn crynu gormod i fedru gwneud hynny ei hunan. Dywedai Dai nad oedd deintyddion yn ffit i fynd yn agos at geg neb. Efallai, wedi'r cyfan, mai Dai Cornwal oedd yn iawn, 'Fydda i byth yn methu,' medde Dai, 'drwy roi cortyn am y dant a'r pen arall am fwlyn y drws ac wedyn syrthio 'nôl ar fy nghefn at y llawr.' Ac yn ôl Dai, roedd e'n costio dipyn llai.

Ein Rhyfel Ni

Un dydd daeth merch newydd i'r ysgol, un a alwyd gan Miss Rees yn faciwî, a chafodd eistedd yn y ddesg flaen wrth ochr y bwrdd du. Dywedodd Miss Rees iddi ddod o Lunden oherwydd y Rhyfel a'r tebygolrwydd y byddai'r lle yn cael ei fomio'n deilchion. Doedd ganddi ddim gair o Gymraeg ac yn lle bod ag enw syml fel Ann neu Annie roedd yn rhaid iddi gael ei galw'n Anna.

Bu'n dipyn o drafferth i Charles a finne ar y dechrau wrth iddi ofyn byth a hefyd beth oedd rhyw air neu frawddeg yn y Gymraeg yn ei feddwl. Medrem ddeall ei chwestiynau'n iawn ond peth arall oedd cynnig ateb iddynt mewn iaith ddieithr. Methai Charles a finne ddeall pam na fedrai'r Llywodraeth ddanfon faciwîs Cymraeg i ysgolion Cymraeg. Fe ddwedodd Ifan Defi Bronberllan yn glir wrth Miss na fyddai byth yn mynd i Loegr pe byddai'n hysgol ni'n cael ei bomio. Yn fuan wedyn daeth bachgen o Lerpwl at Mam-gu ond doedd hwnnw ddim yn dod atom ni gan fod yna ysgol arall yn nes ato. Cefais wahoddiad i fynd i'w weld ar y Sadwrn canlynol a dyna'r bwyd gorau gefais i erioed. Roedd mam Brian – dyna enw'r faciwî – wedi danfon tun yn llawn o bêc bîns i Mam-gu a chawsom, Brian a finne, fwyta'r cyfan.

Un o'r bobol bwysicaf i mi yn ystod yr amser hwn oedd Rhys Jones y Postman. Bu Rhys yn y Rhyfel Cyntaf a gwyddai am bob cae a ffos yn Ewrop. Byddai'n galw yn y tŷ tuag amser cinio ac yn dweud wrthom yn union ble'r oedd y Jyrmans bob dydd. Ambell dro fe luniai fap ar gefn amlen a dangos ble roedd yr ymladdfa fawr yn digwydd ar y pryd. Gwyddai hefyd enwau'r trefi a'r pentrefi yn Ffrainc a'r Iseldiroedd a deuthum yn fuan iawn i gofio'r rhain ac i sôn amdanynt wrth y plant yn yr ysgol. Pe byddem yn digwydd bod allan yn chwarae ar lan yr afon pan ddôi Rhys heibio byddai'n tynnu llinell efo blaen ei ffon ar ffurf Ewrop yn y gro. Yna lluniai linellau eraill i ddynodi rhaniad y gwledydd a gosod cerrig mân wedyn i ddangos pa mor bell oedd y Jyrmans wedi torri drwodd.

Un da oedd Rhys hefyd am ddisgrifio'r gynnau mawr a'r effaith a gâi'r rhain ar y milwyr yn y ffosydd. Yn anffodus, ni fedrai aros yn hir iawn gan ei fod yn gorfod cerdded dros ddeng milltir ar hugain bob dydd o amgylch ffermydd y fro. Byddai'n cychwyn i fyny o'r pentre gan alw ar bawb yn Nyffryn Glasffrwd, yna dros Ben Bwlch a chroesi afon Tywi tua saith gwaith i fyny at Foel Prysgau. Troi i'r dde wedyn a thros y mynydd i Garreg Lwyd ac i lawr drwy Ddyffryn Moiro nes cyrraedd Penddolfawr ac yna dilyn afon Teifi yn ôl i'r pentre. Weithiau byddem yn dod allan o'r ysgol pan gyrhaeddai yn ei ôl i agor y bocs postio oedd ym mur yr ysgol a chaem gyfle am ragor o hanes.

O dipyn i beth teimlai Charles a finne fod ein Saesneg yn gwella'n fawr wrth i ni siarad ag Anna. Ond yn anffodus doedd neb arall yno y medrem siarad Saesneg â nhw. Byddai Rhys y Postman yn ein rhybuddio droeon rhag sgwrsio â dieithriaid, boed nhw'n Gymry neu'n

Saeson, rhag ofn mai ysbiwyr oedden nhw. Amser chwarae byddem i gyd – bechgyn a merched – yn martsio i fyny ac i lawr ar hyd glan yr afon gan ymrannu'n ddwy garfan yn awr ac yn y man fel bod pob un yn gwybod beth i'w wneud pan gaem ein galw i fyny i'r armi.

Ddiwedd mis Mai daeth y Rhyfel atom o ddifri. Roedd gwŷr Pantyfedwen, Alf ein gwas hynaf a George, ar y mynydd yn torri mawn ger Pen Bwlch er mwyn gwneud yn siŵr y byddai'r sièd fawn yn llawn erbyn y gaeaf canlynol. Roeddent wrthi'n gosod y mawn yn chweche, sef bob yn chwech, un yn erbyn y llall ar geulan y pyllau i sychu, pan glywsant sŵn eroplên yn dynesu o gyfeiriad Llyn Gynon. Daeth yn amlwg yn ôl y sŵn ei bod hi'n hedfan yn isel a neidiodd pawb i'r pwll mawn rhag ofn mai plên Jyrmans wedi dod yno i'n bomio oedd hi. Wrth graffu gydag ochr y geulan gwelsant yr eroplên yn ymddangos dros y gefnen prin ddeng troedfedd o'r ddaear ac o fewn eiliadau plymiodd ar ei phen i'r trapiau mawn oedd yn ffurfio cors rhwng y Graig Wen a Phen Bwlch. Am wythnosau wedyn bu'r Awyrlu'n tyrchu i geisio codi'r *Wellington* fawr o'r mawn a dod â hi ddarn wrth ddarn i lawr o'r mynydd i'r cae o flaen ein tŷ ni. Cafwyd hyd i gyrff y criw ond mae darnau o'r awyren yn dal yn y gors hyd heddiw. Ambell noson, wedi i bawb hen gilio, byddwn yn dwyn ambell ddarn bychan o'r awyren a'i guddio er mwyn ei ddangos i'r bechgyn yn yr ysgol. Dywedodd Dai Twm y byddai'r Awyrlu'n dod i wybod am hyn ac y cawn fy saethu yn erbyn wal y sgubor cyn brecwast. Bûm yn meddwl am redeg i ffwrdd fwy nag unwaith wedi iddo ddweud hynny wrtha i.

Un prynhawn pan gyrhaeddais adre o'r ysgol credais

fod y diwedd wedi dod. Yn y gegin roedd tri o sowldiwrs yn siarad â Nhad. Dringais yn llechwraidd i'r llofft a chadw o'r golwg y tu ôl i'r cyrtens er mwyn eu gweld yn gadael. Ymhen amser hir, aeth y tri allan ac i mewn i'w jîp ac i ffwrdd â nhw. Pan gefais ddigon o nerth o'r diwedd i fynd lawr i'r gegin deallais mai Americanwyr oedd y tri a bod Nhad wedi gosod dau gae iddynt, Cae Grîn ar gyfer awyrennau bychain i godi a disgyn a Chae Gwair ar gyfer codi gwersyll. Hefyd neilltuwyd darn o'r dolau ger yr afon fel stordy petrol.

Yn fuan wedyn cyrhaeddodd llwyth lorri o sowldiwrs i baratoi ar gyfer y gwersyll. Fe gliriwyd darn o glawdd Cae Gwair i ffwrdd er mwyn gwneud lle i'r tanciau a'r lorïau i symud i mewn ac allan, ac yna gosodwyd llinellau ar hyd ac ar led y cae ar gyfer codi rhesi o bebyll. Bu dau sowldiwr yn cerdded ar draws Cae Grîn yn chwilio'n fanwl rhag ofn bod cerrig neu graig ar yr wyneb lle byddai'r awyrennau bychain yn disgyn. Cafodd Nhad wybod y byddai'r fyddin Americanaidd yn cyrraedd ar nos Fawrth ac fe'i rhybuddiwyd i wneud yn siŵr na fyddai dim stoc ar y caeau penodedig. Penderfynodd Dic, Charles a finne y byddem yn mynd lawr i Gae Dôl Teifi yn syth wedi te i wylio'r sowldiwrs yn dod i fyny'r ffordd. Roedd ein caeau ni yn ymestyn i lawr bob ochr i'r ffordd i gyfeiriad y pentre gyda pherthi cyll yn cadw'r terfyn, lle da i guddio a chadw golwg ar y ffordd yr un pryd. Bu'r tri ohonom yn eistedd ar gangen am gryn awr cyn i ni glywed sŵn y confoi yn dynesu ac o fewn ychydig funudau gwelsom y lorri gyntaf yn croesi pont Glasffrwd. Ymhen dim o amser roedd y ffordd yn llawn gyda lorri ar ôl lorri, tanciau, jîps, mwy o lorïau wedyn, a llwch yn codi'n gymylau ym mhobman. Erbyn hyn roedd y tri ohonom yn ddu gan lwch – mor ddu â'r gangen y safem arni – ac wedi dychryn gormod i dorri gair na symud. Wrth i lorri basio, medrem weld top helmet pob sowldiwr a thrwy'r llwch edrychent yn union fel Jyrmans. Tystiai Dic iddo glywed rhai ohonynt yn siarad Jyrman a chododd hyn gymaint o ofn arnom fel i ni aros yn ein hunfan nes i'r cyfan fynd heibio. Yna sleifiodd y tri ohonom ar draws y ffordd ac i fyny'n ôl adre.

Am wythnosau wedyn daeth sowldiwrs a thanciau yn bethau cyffredin i bawb yn yr ardal a daeth Charles a finne'n hoff iawn o tshiwing-gym. Bob dydd byddai'r tanciau'n tanio nes bod pob man yn diasbedain a'r ceffylau gwedd yn y stabal yn gwrthod bwyta, yn enwedig Lester, y gaseg goch. Dywedai Alf nad oedd yn ddiogel i garthu y tu ôl iddi gan ei bod hi'n cicio gymaint.

Roedd hen geir modur wedi eu gosod i fyny ar fynydd Moel Prysgau fel targedau i'r gynnau anelu atynt a bu tyllau mawr yn y mawndir am flynyddoedd wedyn. Byddai'r milwyr yn ymffurfio'n garfannau ac yn gwisgo camofflâj gydag un garfan yn ceisio dal y llall. Weithiau byddai Charles a finne, tra byddem wrthi'n chwilio am gwningod, yn dod ar draws rhai o'r milwyr yn cuddio yng nghoed Cwm Crognant. Dro arall, a'r ddau ohonom yn dilyn afon Glasffrwd, gwelsom ddau sowldiwr yn gafael yn dynn am ganol dwy fenyw o'r pentre. Ciliodd Charles a finne'n ôl yn dawel bach, a ffwrdd â ni adre wedyn i ddweud wrth Mam. Roeddem yn siŵr fod y ddwy yn cael eu cadw'n garcharorion. Ond ni wnaeth

Mam fawr o sylw, dim ond rhoi bob i afal i ni a'n danfon allan i chwarae.

Nos Sul oedd y noson orau i fynd lawr i'r Cae Gwair gan fod y siop ar agor a byddai Dic, Charles a finne'n ciwio gyda'r sowldiwrs. Er na fyddai ganddon ni byth bres, byddem yn cael tshiwing-gym bob tro. Yna, o'r siop byddem yn sleifio'n slei o amgylch y cae nes cyrraedd y tu ôl i'r babell fawr lle câi pictiwrs eu dangos. Dim ond ambell beg hwnt ac yma oedd yn dal y cynfas i lawr a gallem yn hawdd godi peg a gwthio'n ffordd i mewn. Byddem yn gorwedd yn dawel ar y llawr yn gwylio'r sgrin fawr. Anaml iawn y câi ffilm gowboi ei dangos ac roedd llawer o'r merched yn y ffilmiau heb nemor ddim dillad. Rhaid bod America'n wlad boeth iawn, meddyliem, gan fod y merched yma'n gallu symud o gwmpas heb ddilledyn. Ar ôl i ni fod yn y babell am ychydig byddem yn cyfarwyddo â'r tywyllwch, ac yn llewyrch y lamp fawr byddem yn gweld llu o wynebau. Synnwn weld merched o'r pentref ymhlith y dorf o filwyr bob nos Sul. Rhaid eu bod yn medru cael ticedi rhywfodd i gael dod i mewn. Un nos Sul, a Dic a finne'n gysurus braf yn gwylio'r sgrin fawr gyda llond ein cegau o tshiwing-gym dyma glamp o sowldiwr mawr yn baglu dros fy nghoes a syrthio gan greu anferth o sŵn. Cyn iddo gael cyfle i godi roedd y ddau ohonom allan dan y gynfas a thros y berth i'r afon drwy Gae Dan Tŷ Bronberllan ac yn rhedeg am adref am ein bywydau. Wnaethon ni ddim mynd ar gyfyl y pictiwrs ar ôl hynny rhag ofn i ni gael ein saethu.

Hwyrach mai o blith cerbydau'r Americanwyr i gyd, y mwyaf diddorol oedd yr eroplenau bychain dwy-sedd oedd byth a hefyd yn disgyn a chodi o Gae Grîn. Weithiau, a Charles, Dic a finne'n cerdded y gefnen uwch coed Cwm Crognant, deuai plên i lawr mor isel nes y byddem yn gorfod gorwedd ar y ddaear, a'r peilot i'w weld yn glir drwy ffenest yr awyren. Buom droeon yn ceisio cael trip yn un o'r rhain o gwmpas yr ardal ond byddai rhyw esgus gan y peilot byth a hefyd. Ond un noson dyma ein cyfle yn gwawrio. Eisteddai Charles a finne ar staer gerrig llofft y cartws pan waeddodd y peilot arbennig hwn arnom i fynd ato i'r cae. Rywbryd yn ystod y dydd roedd wedi colli ei oriawr a thybiai'n siŵr ei bod hi ar goll rywle yn y glaswellt. Dyma ddechrau chwilio o ddifri, ac mae'n rhaid ein bod yn fwy trylwyr na'r Americanwr gan i ni ddod o hyd i'r oriawr mewn dim o amser. Cynigiodd becyn llawn o tshiwing-gym i ni, ond pwyntio at y plên a gwneud arwyddion hedfan yr un pryd wnaethon ni. A chyn ein bod ni'n sylweddoli bron, roeddem wedi'n strapio'n dynn yn y sedd fach y tu ôl iddo. Taniwyd yr injan a ffwrdd â ni, y plên yn rhedeg fel ffesant ar hyd y cae cyn codi'n gyflym ac esgyn uwchlaw'r coed i gyfeiriad Cors Caron. Medrem weld Terrace Road yn glir ond roeddwn i'n ofni pwyso gormod dros yr ochr rhag ofn i fi syrthio allan. Edrychai afon Teifi fel llinyn hir gyda phentre Ystrad Meurig draw i'r dde a lein y trên fel saeth yn ymestyn ar draws y gors. Cychwynnodd y peilot siarad am America pan oeddem uwchben Tregaron a sôn rhywbeth am fynd adre. Trodd y trip yn sur. Meddyliais yn sicr ei fod am fynd â'r ddau ohonon ni dros y môr a gwyddwn fod dagrau'n cronni yn fy llygaid. Roedd wyneb Charles yn glaerwyn. Trodd y plên i ffwrdd o Dregaron a doedd yr un o'r ddau ohonom yn nabod yr un ffarm na phentref. Cyn hir, roeddem uwchben mynydd-dir ac ambell dŷ ffarm hwnt ac yma nes, o'r diwedd, dyma ffermdy Bryneithinog i'r golwg. A'r funud nesaf gwelwn gornel y riwins ac roeddem yn troi o gylch y cae unwaith eto. Aeth Charles a finne allan yn dawel heb ddweud yr un gair wrth y peilot a wnes i byth ofyn am drip ar ôl hynny.

Alf ein gwas hynaf oedd â gofal am y ceffylau ac fe ymunodd â'r Hôm Gârd. Siaradai byth a hefyd am yr hyfforddiant ar sut i ddal Jyrmans oedd yn mynd i ddisgyn mewn parashiwts yn ystod y nos. Diwrnod mawr yr Hôm Gârd oedd dydd Sul pan fyddent yn cael practis ar y Dolau gydag un garfan yn amddiffyn a'r llall yn ceisio meddiannu ei safle. Bu un garfan wrthi'n dysgu sut i drafod offer diffodd tân gan bwmpio dŵr o'r afon a'i saethu allan i'r awyr. Un bore, a'r tanc dŵr yn llawn, gollyngodd Rhys Dolau Bach ormod o ddŵr drwy'r biben a thaflwyd Dic Rees y Siop i'r awyr gan y pŵer.

Ambell fin nos deuai Alf i lawr i'r gegin yn ei siwt Hôm Gârd a'i sgidiau duon yn sgleinio. Byddai gwaelod ei drowsus mewn legins byrion a theimlwn yn ofnadwy o eiddigeddus pan gychwynnai ar ei feic *Raleigh* i lawr am y pentre. Fel y byddech yn disgwyl, a dynion mewn oed yng ngofal y trefnu, erbyn i Dic, Charles a finne ddod yn ddigon hen i ymladd byddai'r Rhyfel wedi hen ddod i ben!

Er bod yr Americanwyr yn tanio bob dydd i fyny ar y mynydd uwchlaw'r ysgol, nid oedd Miss Rees yn fodlon i ni golli diwrnod o'n haddysg. Gan fod stordy petrol ar y Dolau ger yr afon, a chan y byddai lorïau a motor-beics milwyr ar y ffordd drwy'r dydd, ni chaem fynd allan amser chwarae, boed glaw neu hindda.

Ar yr adeg yma roedd Rod Glangorsfach yn gweithio i Nhad gan ofalu yn rhannol am y gwartheg. Fel arfer, ganol y bore a'r gwartheg wedi eu bwydo a'u godro, byddent yn cael eu troi i'r dŵr ac yna i fyny i'r Lan, sef tir serth uwchlaw'r tŷ. Golygai hyn fod Rod yn gorfod eu gyrru heibio i'r storfa betrol bob dydd ac, fel arfer, ni fyddai neb yno i warchod y caniau tanwydd. Mae'n debyg fod Twm, brawd Rod – a oedd yn berchen ar fotor-beic ac yn methu cael digon o gwpons petrol – eisiau i Rod ddwyn llond can iddo. Roedd y caniau'n fflat fel cês dillad a rhyw fachyn reit gymhleth yn cloi'r corcyn yn ei le. Penderfynodd Rod ar fore reit boeth agor un o'r caniau er mwyn gweld a oedd yn llawn gan lwyddo, mae'n debyg, i agor un hei-octen ar gyfer eroplên gyda'r canlyniad iddo chwythu i'w wyneb. Bu Rod, druan, am ddyddiau lawer yn gweld fawr ddim a bu'n rhaid i Twm ei frawd fod heb betrol i'w fotor-beic.

Er gwaethaf holl effaith y Rhyfel ar fywyd bob dydd yr ysgol, yn syth ar ôl cinio caem roi'n llyfrau i gadw gyda Miss Rees yn ein harwain i fyny dros y bompren ac ar draws afon Glasffrwd ac i'r coed lle byddem yn hel mwsogl drwy'r prynhawn. Ar ddiwedd yr helfa byddai'r bechgyn mwyaf yn cario'r mwsogl yn ôl mewn bagiau ac yn codi tas fechan wrth dalcen ein sgubor ni gyda chaniatâd Nhad. Dywedai Miss Rees fod y mwsogl yn cael ei ddefnyddio i lunio cadachau i lapio am filwyr clwyfedig oedd wedi eu brifo yn y Rhyfel. Yr un fyddai stori Miss bob tro – mor bwysig oedd hi i ni guro Hitler a bod yn rhaid i bob un wneud ei ran. Dim ond sôn am guro Hitler a byddai'r bechgyn yn hel mwsogl am y gorau, hyd yn oed pan fyddai'n glawio.

Bob tro y byddai rhywun o'r pentre neu o'r ardaloedd cyfagos yn dod adre am ychydig ddyddiau o'r Rhyfel, yn enwedig pe byddai tri neu bedwar adre ar yr un pryd, caem gyngerdd yn Neuadd yr Eglwys. Byddai'r elw'n cael ei rannu rhwng y milwyr. Edrychwn ymlaen at y rhain gan y byddai Nhad yn mynd â Beti, Glenys a finne i bob cyngerdd a'n cerdded i'r pentre a phobman yn dywyll fel bol buwch ddu gan y byddai blac-owt ar bob ffenest. Byddai Jac Oliver y Barbwr yn arwain bob tro gan wneud i ni'r plant chwerthin, yn enwedig wrth geisio efelychu'r boi gwneud triciau.

Hoff artistiaid y plant fyddai Shoni a Iori o'r De oedd wastod yn canu 'Sawl Milltir sydd i Moscow?' gan esgus rhedeg ambarél drwy galon Hitler a phawb yn chwerthin a gweiddi 'oncôr'. Yn ystod yr egwyl byddai'r milwyr oedd adre yn cael eu galw i'r llwyfan, a phob un ohonynt yn edrych yn ddewr iawn. Pan fyddai Wncwl Jac neu Wncwl Wil yn cael eu galw i fyny byddwn yn clapio'n uchel ac yn rhoi pwt i Glenys i wneud yr un peth. Mae'n debyg nad oedd merched yn sylweddoli pwysigrwydd milwyr fel ni'r bechgyn.

Hwyrach mai elfen waethaf y Rhyfel i gyd i fi oedd gweld cannoedd o filwyr Prydeinig yn dod lawr o'r mynyddoedd, o'r Tywi ac o Foel Prysgau, a golwg ofnadwy arnynt. Deuthum adre o'r ysgol un pnawn i ddarganfod Doctor Defis o Dregaron wrth y drws cefn gyda swyddog pwysig yr olwg o'r fyddin yn siarad â Mam. Dywedodd Mam yn ddiweddarach fod y doctor wedi ymweld â'r sowldiwrs i fyny yn y mynyddoedd a gweld fod nifer fawr ohonynt heb ddigon o fwyd a llawer ohonynt wedi dioddef o effaith y gaeaf garw. Mae'n debyg fod llawer ohonynt hefyd yn dioddef o'r niwmonia. Roeddent i gyd i gael eu symud drannoeth gyda lorïau yn dod mor bell â'n tŷ ni a'r sowldiwrs yn martsio i lawr i'w cludo i wersyll lle byddai gwell cyfleusterau. Bu Mam wrthi'n pobi bara yn y ffwrn wal bron drwy'r nos, a thrannoeth cefais sefyll adre o'r ysgol i helpu Mat y forwyn a Nhad i gario te a brechdanau allan i'r milwyr wrth iddynt gyrraedd. Roedd yn nos dywyll erbyn i ni orffen a llawer iawn o'r bechgyn a golwg wael arnynt. Cefais tshiwing-gym gan rai a chyllell boced gan un sowldiwr oedd â'i draed yn ddoluriau i gyd.

Aeth yr Americanwyr i ffwrdd yn fuan iawn wedyn gan adael y gwellt oedd ar lawr y pebyll i Nhad. Gyda diflaniad yr Americanwyr welson ni fawr o sowldiwrs wedyn tan ddiwedd y Rhyfel, ar wahân i'r Hôm Gârd!

Daeth y Rhyfel i ben i mi ar ddôl Caemadog. Roeddwn ar fy ffordd adre wedi bod yn gweld Anti yn Penddolfawr pan ddaeth Wncwl Jac i'm cyfarfod. Roedd yn ddiwrnod poeth o haf a finne mewn crys di-lewys pan welais Wncwl Jac yn dod tuag ataf mewn cot fawr drom i lawr at ei draed. Deallais wedyn wrth siarad â Mam am y got ei fod newydd ddod adre o wlad o'r enw Byrma a chefais fy siarsio ganddi i beidio â'i holi am y Rhyfel. Daeth gwyliau'r haf yn fuan wedyn ac roedd pethe pwysicach i'w gwneud.

50

Y Ffermwr Bychan

Roeddwn bellach yn ddeg oed a'r hynaf o bump o blant
– tair ohonynt yn ferched. Nid yw merched y pethe
gorau am chwarae fel arfer ond roedd Glenys, fy ail
chwaer, lawn cystal â bachgen am ddringo coed a'm dilyn
i bobman. Un dda oedd Glenys am hel pobol o'u cof, a
ninne o'r herwydd yn gorfod dianc yn aml am ein
bywydau. Lle da am hwyl oedd yr ardd, lle byddai
Gordon yn plannu a hau yn ystod y gwanwyn.

Gŵr tawel oedd Gordon yn hoffi ei gwmni ei hun ac
yn ysgrifennu llawer. Roedd ganddo gadeiriau a enillodd
am bryddesta a barddoni ond ni fyddai byth yn hwyliog
iawn gyda ni'r plant. Camp fawr Glenys oedd cuddio y tu
ôl i lwyni bocs nes byddai Gordon â'i gefn tuag ati. Yna
deuai allan yn dawel a chodi'r planhigion bresych roedd
newydd eu plannu a rhedeg yn ôl i guddio. Byddai
Gordon yn ei gweld bob tro ond ni fyddai byth yn
gwylltio. Yn hytrach ceisiai ymresymu â hi ond heb fod
fawr gwell.

Ein hoff guddfan oedd coeden ysgawen fawr a blygai
bron iawn dros y tŷ bach. Roedd llwybrau cudd yn
arwain at y tŷ bach gyda wal y riwins un ochr a pherth yr
ardd yr ochr arall. Yn yr haf, a'r coed yn eu dail, caech y
teimlad o gerdded mewn twnnel. Yn aml iawn, a Glenys
a fi yn eistedd ar ganghennau'r ysgawen, deuai Nhad i'r
tŷ bach. Er mwyn creu golau y tu mewn roedd tua chwe

modfedd o dop y drws wedi'i lifio i ffwrdd ac o'n safle gwych i fyny ar y gangen medrem edrych i mewn. Medrem weld Nhad yn eistedd ar y sedd gan ysmygu'n braf a ninne fawr mwy na chwe throedfedd i ffwrdd. Bron yn ddieithriad byddai chwerthin yn mynd yn drech na ni, ac o fewn dim byddai'n ras am ein bywydau a Nhad â'i strap yn ei law ar ein hôl. Llawer i dro wrth ddisgyn yn rhy gyflym y gadawodd Glenys ddarn o'i blwmer ar ôl ar y goeden. Roedd Nhad bryd hynny yn dipyn o redwr, a llawer i dro gadawodd y strap ledr ei marc ar goes ac ar din.

Gan nad oedd teganau'n bethe cyffredin y dyddiau hynny bydden ni'r plant â'n llygaid yn agored bob amser am declyn neu ryw ffordd wahanol i greu hwyl. Un prynhawn a Charles Cornwal a fi ar sgawt yn yr hen dŷ coets, dyma ganfod bocs yn llawn poteli lemonêd gwag. Ond yn bwysicach roedd pob potel â marblen yn ei gwddw. Torrwyd yr holl boteli a chael dwsin o farblis. Ac yn y fan a'r lle ganwyd gêm newydd.

Doedd yr un bachgen yn rhywun os nad oedd ganddo gylch haearn a bachyn weiren i'w reoli wrth ei rowlio fel pellen i lawr y ffordd. Wedi llawer o bledio cefais Nhad yn y diwedd i fynd at Isaac y Gof yn y pentre i lunio cylch i mi. Roedd e'n well teimlad na chael car newydd!

Cofiaf hefyd, wedi llif mawr yn afon Teifi, i ni'r plant ganfod fflei whîl injan tsaffio yn y dŵr. Olwyn haearn oedd hi, mor fawr ag olwyn cart ac yn drwm uffernol. Penderfynwyd ei llusgo i gopa'r Lan, sef y mynydd y tu ôl i'n tŷ ni. Cymerodd ymdrechion bedwar toriad amser cinio i'w chael i fyny i'r brig. Yno codwyd hi ar ei hechel a'i gollwng. Gallaf ei gweld hi nawr yn carlamu gan dorri'r rhedyn a'r eithin fel cyllell ac ar ei phen am y ffordd lle sylweddolwyd, yn rhy hwyr, fod Tomi'r Postman yn dod i fyny ar ei feic. Drwy lwc a bendith, ar y funud olaf dyma'r olwyn yn taro carreg fawr gan felltennu i'r awyr gan troedfedd yn hawdd uwchben y postman ac ar ei phen i gae Cefn yr Ydlan. Ni sylweddolodd Tomi iddo ddod mor agos at fynd i'r swyddfa bost fawr yn yr awyr a bu popeth yn iawn nes i Nhad ffeindio'r olwyn at ei hanner ym mhridd y cae a gweld ôl ei thaith bendramwnwgl i lawr y mynydd.

Lleihau, fodd bynnag, wnaeth amser chwarae gyda mwy a mwy o ddyletswyddau ar y ffarm yn dod i'n rhan. Byddai Nhad bob nos am i mi wneud hyn ac arall i helpu ar y ffarm a Mam byth a hefyd am i mi ddod i'r tŷ i wneud fy ngwaith cartref ac i baratoi ar gyfer y Sgolarship. Peth diflas iawn oedd bod i fyny yn y llofft yn darllen llyfrau tra oedd pawb arall allan yn mwynhau eu hunain.

Yn ystod y cyfnod hwn bu Mam yn bur wael gan iddi syrthio o ben cadair rai dyddiau cyn genedigaeth fy chwaer ieuengaf a gorfod treulio peth amser yn yr ysbyty. Bedyddiwyd y babi newydd yn Eluned a chyda threiglad amser trodd ei henw yn Luned, ac yna ei fyrhau eto yn Lyn. Yn rhyfedd iawn, ychydig o fagu wnes i'r tro hwn gan fod Beti a Glenys yn ddigon hen i ofalu amdani. Efallai, wrth edrych yn ôl, iddi fod yn lwcus iawn o hynny ac eto, dywed llawer iawn heddiw ei bod hi'n debyg iawn i fi. Gwadu hynny'n bendant wna hi, wrth gwrs.

Oherwydd gwendid Mam roedd Nhad yn treulio mwy o amser yn y tŷ gan nad oedd ganddon ni forwyn ac roedd gen inne ragor o ddyletswyddau allan ar y ffarm. Bob amser brecwast byddai Nhad fel dyn gwallgof yn ceisio, ar yr un llaw, ein cael ni'r plant i gyd wedi ymolchi a gwisgo ar gyfer mynd i'r ysgol ac, ar y llaw arall, yn ymdrechu i baratoi bwyd i ni. Cofiaf un bore i mi bron iawn â chael fy lladd ganddo pan ddaliodd e Glenys a fi'n defnyddio'r oilcloth – ar y bwrdd a oedd yn flociau du a gwyn – fel bwrdd draffts. Roeddem wedi torri'r caws i fyny yn ddarnau mân ac yn cael hwyl dda ar y gêm nes iddo ein dal. Fe wnes i fynd i'r ysgol y bore hwnnw heb fawr o frecwast.

Dyma'r adeg pan oedd angen help yn y beudy i odro a chychwynnais ar y gwaith hwnnw bob bore cyn mynd i'r ysgol. Dysgais yn gyntaf drwy odro'r fuwch fach goch yn y côr canol gyferbyn â'r drws. Roedd Cochen yn hen a thawel ac felly'n ddelfrydol i brentis fel fi. Yn fuan iawn dysgais ddigon i fedru godro tair buwch cyn mynd i'r ysgol. Ar ôl Cochen byddwn yn godro Gwenhwyfar y fuwch froc, ac yn olaf buwch las Dai'r Teiliwr. Prynodd Nhad honno gan y teiliwr yn Ffair Rhos a bu acw am dair blynedd nes iddi fynd i gae Cefn Tŷ un diwrnod lle'r oedd golch Mam ar y lein. Mewn dim o amser roedd hi wedi bwyta hanner y dillad. Y dydd Mawrth canlynol aeth Nhad â hi i farchnad Tregaron. Bûm yn godro'r fuwch wen oedd am y côr â Gwenhwyfar am dipyn yn lle'r fuwch las nes yn y diwedd cawn fynd at ba fuwch bynnag oedd ar ôl heb ei godro. Lle braf oedd y beudy yn y gaeaf a blew'r fuwch yn gynnes ar fy wyneb. Ond yn yr haf roedd yn gas gen i'r gwaith, yn enwedig pan fyddai llau ar y gwartheg. Yn ystod y cynhaeaf gwair byddwn yn gorfod godro bron hanner y gwartheg fy hun ac awn allan o'r beudy â breichiau fel rhai Guto Ffowc yn hongian yn llipa wrth fy ochr.

Yn ystod y dydd byddai'r cynhaeaf gwair yn hyfryd gan nad oedd ysgol a chawn y fraint o ofalu ar ôl y ddwy chwaer hynaf a'm brawd, gyda rhybudd pendant i'w cadw i ffwrdd o'r caeau a'r peiriannau. Yr hoff gyrchfan ar adegau felly oedd y Cae Bach wrth ochr yr ydlan lle byddai'r ferlen lwyd yn cael ei chadw bob amser. Defnyddid yr hen ferlen gan bawb fel y byddai'r galw a chan fod y cae mor fychan medrem, yn bedwar, ei dal hi'n hawdd. Medrwn, o'r braidd, wrth aros ar flaenau fy nhraed, gyrraedd yn ddigon uchel i wisgo ffrwyn dros ei chlustiau ac yna ei harwain at y garreg fawr yn y gornel cyn esgyn ar ei chefn. Y cam nesaf fyddai ei chadw'n ddigon tawel wrth ochr y garreg nes byddai'r pedwar ohonom ar ei chefn, un wrth gefn y llall yn ymestyn o ben ei hysgwydd at ei chrwper. Cafwyd aml i godwm yn ystod yr amryw gylchoedd o'r Cae Bach, yn enwedig pan fyddai Llwyden yn torri allan yn sydyn i garlamu.

Un diwrnod a phawb yn brysur wrth y gwair yn Cae Grîn dyma benderfynu mynd draw ar gefn y ferlen. Aeth popeth yn iawn nes cyrraedd y cae ac Alf yn mynd heibio â'r peiriant ysgwyd gwair gyda'r goben ddu yn y siafft. Fel arfer cerddai honno ar ryw hanner trot a'r gwair yn cael ei daflu i'r awyr fel dail mis Tachwedd. Cafodd Llwyden ofn wrth weld y gwair yn chwifio wrth ei phen a ffwrdd â hi ar draws y cae ar garlam. Gorfu i mi roi'r gorau i ddal y ffrwyn a chydio yn ei mwng. Ond i ddim pwrpas gan i Beti lithro dan fol y ferlen a thynnu'r gweddill ohonom i'w chanlyn. Ni chafwyd trip i'r cae gwair ar ôl hynny a bu Llwyden yn bur ddrwgdybus o bob peiriant gwair byth wedyn.

O'r swyddi i gyd, yr un a gasawn fwyaf oedd corddi. Roedd y fuddai fawr wedi ei hangori ar lawr y llaethdy gyda throell haearn yn arwain allan drwy'r ffenest i'r troellwr, a edrychai fel y tu mewn i oriawr ond ar raddfa llawer mwy, gydag un olwyn ddanheddog yn troi ar y llall i greu'r troiwr fyddai'n cynnal y droellen wrth y fuddai. Allan o'r troellwr, neu'r gêrin fel y'i gelwid, estynnai darn cryf o bren fel coes sosban anferth a byddai'r gaseg yn cael ei bachu wrth y goes. Fy ngwaith i fyddai arwain y gaseg las rownd a rownd gannoedd o weithiau nes byddai'r hufen wedi corddi a lympiau melyn mawr o fenyn yn ymddangos. Byddwn yn reit feddw erbyn gorffen bob tro ac yn falch o gael mynd â Fflowyr y gaseg yn ôl i'r stabal.

Yn syth bìn wedyn byddwn yn mynd 'nôl i'r llaethdy at Mam am lasied o laeth enwyn ac ambell dro awn â llond jwg allan i'r dynion, yn arbennig ar ddiwrnod poeth. Byddai Mam wrthi am gryn awr ar ôl corddi yn cywiro'r menyn gan roi'r rhan fwyaf ohono mewn crochan pridd mawr a gwneud y gweddill yn flociau gyda phatrwm gwahanol ar bob un. Roedd ganddi declyn pren ar gyfer llunio'r patrwm a gwae ni'r plant pan gaem ein dal yn mynd â'r rhain allan i chwarae gwneud menyn gyda mwd.

Swydd arall fyddai'n gas gen i oedd helpu Alf y gwas ar fore dydd Sadwrn i dorri coed a llanw'r ffwrn wal ar gyfer crasu bara a chacennau. Roedd y ffwrn wal yn y tŷ pair yn dal pymtheg torth fawr a dwy gacen. Cyn crasu byddai gofyn llanw'r ffwrn â choed mân a'u llosgi yn ulw nes bod brics y ffwrn yn grasboeth ac yn barod i'r toes yn y tuniau hirgrwn.

Un bore dydd Sadwrn, a finne'n cael tipyn o hwyl i fyny yn yr hen goeden dderwen ym mhen draw Cae Cefn Tŷ dyma lais Alf yn galw arnaf i ddod i'w helpu i lifio coed. Roedd yn gas gen i'r hen drawslif a byddai ei chorn yn brifo fy llaw bron bob tro. Beth bynnag, dyma fi o'r diwedd yn dechrau llifio gan dynnu'r llif yn ôl ac ymlaen mor gyflym ag y medrwn er mwyn cael mynd 'nôl i chwarae. Mae'n siŵr i mi dynnu'n rhy anwastad gan i'r llif neidio allan o'r rhigol yn y pren ac ar draws cefn llaw Alf nes bod gwaed yn saethu dros bob man. Gorfu i mi redeg i gefn y tŷ a gweiddi am help a daeth y forwyn, Mat Pencreigiau, allan i weld beth oedd yr holl helynt. Bu'n rhaid mynd ag Alf at y doctor a chafodd rai pwythau wedi eu gosod yn y clwyf. Cefais inne rigolau coch ar draws fy mhen-ôl. Chwarae teg i Alf, gwnaeth ei orau i gadw fy ochr a buom yn llifio gyda'n gilydd am flynyddoedd wedyn.

Yn ystod y cynhaeaf ŷd, yn enwedig pan ddeuai'n adeg cario, byddai Nhad yn gofyn caniatâd Miss Rees am fy ngollwng o'r ysgol ganol y bore i ddod adre i lwytho. Byddai dwy gambo yn cario i'r ydlan gydag un yn y cae yn llwytho tra byddai'r llall yn cael ei gwacáu fesul ysgub i'r helem. Tri pheth fyddwn i'n hoffi ynglŷn â'r gwaith hwn. Yn gyntaf, cawn golli ysgol. Yn ail, cawn wisgo trowsus hir er mwyn ceisio arbed y pengliniau rhag ysgall. Ac yn drydydd, cawn ddod adre amser cinio ar ben y llwyth a phob un o blant yr ysgol yn edrych yn eiddigeddus arnaf. Weithiau, pan fyddai'r ysgall yn ddrwg, byddwn yn ei chael hi'n anodd cerdded erbyn nos gyda 'nwy goes yn fân bigiadau i gyd. Ni fyddai Alf na'r gwas arall, Jac, yn or-hoff o daflu'r sgubau i Nhad ar ben yr helem gan y byddai'n mynd o'i gof os na wnaent ddisgyn o'i flaen yn union yn ôl y gofyn. Ar ôl pob llwyth byddai Nhad yn disgyn i'r llawr ac yn cerdded o gwmpas i weld bod yr helem yn datblygu'n gywir, heb wyro gormod un ffordd na'r llall. Weithiau byddai Dai Cornwal yn gwylio ac yn gweiddi, 'Allan ychydig bach, Twm,' neu 'Dechreua dynnu mewn ar y cylch nesa.' Byddai'r helem bob amser yn cau yn union fel tŵr eglwys. Edrychwn ymlaen at y dydd y cawn i adeiladu'r helem o'r dechrau i'r diwedd.

Erbyn diwedd y cynhaeaf byddai wyth o helmi yn yr ydlan a byddent, fel arfer, yn cael amser i galedu a sadio cyn i ni hel brwyn i'w diddosi at y gaeaf. Byddai'r dynion am rai dyddiau ar gors Dolbeudyau gyda phladur yr un yn torri brwyn cyn eu cario adre, yn y gambo, ac yna'n eu dethol ar lawr y stabal. Rhaid fyddai cydio mewn dyrnaid o frwyn gerfydd eu sawdl a'i ysgwyd fel bod y gweiriach a'r tyfiant byr yn llithro allan gan adael dim ar ôl ond brwyn llathraidd. Byddai'r brwyn hiraf a'r praffaf yn cael eu cadw at lunio'r cap ar dop yr helem. Yna, allan o'r gwair a'r brwyn mân fe gâi rhaffau eu nyddu er mwyn cadw'r brwyn yn wastad a diddosi'r ŷd. Roedd hwn yn waith annifyr iawn.

Byddwn yn dal y troiwr, teclyn syml gyda weiren dew wedi ei dirwyn drwy ddau ddarn o bren ysgawen gydag un pen ar ffurf bachyn. Fy ngwaith i fyddai troi a throi tra byddai Nhad yn porthi brwyn nes byddai'r rhaff yn ymestyn hyd at lawr y stabal. Byddai'r rhaffau hyn yn rhedeg rhyw droedfedd oddi wrth ei gilydd ar hyd to'r helem er mwyn angori'r brwyn a'u cadw rhag cael eu chwythu i ffwrdd. Câi'r brwyn eu gosod o'r gwaelod i fyny gyda'r ail res rai modfeddi dros y llall, a hynny'n cael ei ailadrodd i fyny at y brig. Yna, gosod cap arbennig o frwyn ar y copa er mwyn diddosi'r ŷd tan adeg dyrnu.

Cyfnod anodd iawn fyddai hwn i fi gan fod yna gymaint o bethau diddorol yn digwydd ar y fferm. Chawn i wneud dim ond helpu. Ac eto, gwyddwn y medrwn ymgymryd â'r gwaith fy hun. Diwrnod diddorol iawn fyddai'r Sadwrn olaf o bob mis Ebrill pan fyddem yn hel y defaid oll er mwyn nodi'r ŵyn cyn eu hanfon yn ôl i'r mynydd. Bob bore byddai Nhad a Defi Morgan Hafodnewydd yn cychwyn gyda'r cŵn i hel y coed a Waun Wen gyda Dai Morgan Grofftau yn mynd i'w cyfarfod wrth lidiart Talwrn. Medrem glywed eu sŵn yn gweiddi ar y cŵn, ac fel y nesaent at yr afon byddai Alf, Jac a finne yn mynd i'w helpu i gael yr ŵyn drwy'r dŵr. Bob tro wrth ddod at yr afon byddai'r ŵyn bach yn troi'n ôl ac yn rhedeg i bobman, a phawb ohonom wedyn yn ysgwyd ein cotiau a rhuthro i'r chwith ac i'r dde fel dynion dwl i'w rhwystro rhag dianc. Amhosib fyddai sicrhau y byddent i gyd yn dod drwodd a byddai tua hanner-dwsin yn siŵr o ddianc i'r coed. 'Da iawn, bois,' fyddai geiriau Nhad bron yn ddieithriad heb fyth ddod ataf a dweud fy mod i wedi gwneud gwaith da. Minne'n goch, yn chwys diferol ac ar dranc, bron.

Wedi'r sgarmes yn yr afon byddai brecwast i bawb cyn ailddechrau drwy hel defaid y Lan ac yna'r caeau i gyd. Byddai'r gwaith o farcio'r ŵyn yn dechrau o ddifri ar ôl cinio gan hel y defaid a'r ŵyn o'r cae bach i mewn fesul twr i'r cartws. Alf, Jac a fi fyddai'n dal yr ŵyn gyda Nhad yn torri hollt yn y glust chwith a thorri blaen y dde. Yna byddai Dai Morgan Grofftau yn torri twll ychwanegol yn y dde a Defi Hafodnewydd yn gosod marc coch uwch cynffon pob un. Byddem yn cadw pob oen gwryw ar wahân heb ei farcio gan eu danfon drwy'r drws i'r lŵs bocs ar gyfer torri arnyn nhw yn ddiweddarach yn y prynhawn.

Pan fyddem yn cychwyn torri byddai cymydog arall, Dai Phillips Llwynygog, yn dod i wneud y gwaith gan eistedd ar fainc bren yn wynebu Dai Grofftau, a fyddai'n dal yr oen iddo. Defnyddiai Dai Phillips gyllell finiog i gychwyn cyn gosod daliwr dur arbennig am y gwreiddyn. Cawn inne wedyn daenu rhyw eli gwyrdd ag arogl rhyfedd arno ar gledr y daliwr cyn y byddai Dai Phillips yn torri ffwrdd. Gofynnais lawer tro am gael cynnig ar y gwaith ond ni wnâi Dai Phillips fyth ateb, dim ond cadw i fynd ymlaen fel petai'n fyddar.

Ar gyfartaledd, unwaith bob blwyddyn deuai Ben Felix atom o Lanwrtyd i dorri ar yr ebolion. Ond eto, ni chawn i fawr o ran yn y gweithgaredd. Ymysg yr ebolion byddai merlod marchogaeth a cheffylau gwedd gydag ambell un yn cicio ac yn strancio pan fyddai Nhad ac Alf yn gosod coler am ei ben. Siarad yn ddi-baid fyddai Ben p'run a fyddai'r ebol yn cicio ai peidio, gan ddefnyddio darnau o goed cyll i atal llif y gwaed. Pe bawn i'n anelu at ddod yn rhy agos, byddai Nhad yn gweiddi arnaf a bygwth cweir, a rhaid fyddai cilio i ben y bocs tshiaff – lle go dda i fedru gweld beth oedd yn digwydd. Addawodd Ben y byddai rywbryd yn galw pan fyddai Nhad i ffwrdd ac y cawn ei helpu i ddal yr ebol – ond ni wireddodd ei addewidion.

Wrth ymyl y bocs tshiaff roedd yna focs pren arall â chaead trwm arno lle cedwid taclau trin traed, gwn dosio, eli o bob math a chyllell fawr gyda dau garn iddi. Hon oedd y gyllell a ddefnyddid i dorri cynffon pob ebol ac eboles wedd. Defnyddid y stâl gyferbyn â'r drws ar gyfer y gwaith bob amser gan anelu at gael cymaint o olau naturiol ag oedd yn bosibl. Yn gyntaf, gyda'r ceffyl â choler am ei ben byddai Nhad yn cydio yn y ffroen gan ollwng dolen o raff ar droellen i orwedd yr ochr bellaf i'w law gan dynhau yn araf nes bod y ffroen fel rhyw afal mawr. Pwrpas hyn fyddai rhoi'r anifail i gysgu a'i gadw rhag cynddeiriogi pan fyddai'r gyllell yn torri drwy gnawd y gynffon. Yn y gegin byddai heyrn dros eu pennau mewn tân mawr yn serio ac fe gawn i redeg yn ôl ac ymlaen yn cario'r heyrn eiriasboeth hyn i Nhad i'w defnyddio i gloi llif y gwaed. Mae blynyddoedd wedi mynd bellach ers pan orchmynnodd y Weinyddiaeth Amaeth ddiddymu'r arferiad. Ond mae'r gyllell yn dal yn y bocs pren o hyd.

Newid Byd

Fe erys y flwyddyn 1947 ar gof yn sicr am dri rheswm, yn gyntaf y tywydd mawr a'r colledion a ddaeth yn ei sgil, yn ail y Sgolarship, ac yn drydydd mynd i'r ysgol fawr yn Nhregaron.

Ar fore dydd Iau ddechrau mis Chwefror a finne'n mynd i'r ysgol, roedd hi'n bwrw eira ac erbyn tua un ar ddeg penderfynodd Miss Rees ein hanfon adre, a phawb wrth eu bodd. Yn ystod y pnawn cododd y gwynt gyda'r eira'n cael ei luwchio yn ddidrugaredd a'i yrru fel siwgwr eisin i mewn dan bob drws. Y diwrnod hwnnw bu'n rhaid i fi roi paraffîn yn y lampau *Tilley* yn gynharach nag arfer gan iddi dywyllu'n gynnar.

Fel arfer byddai tair o'r lampau'n mynd allan o'r tŷ – un i'r beudy, un i'r stabal ac un arall i'r sgubor – a chryfed oedd y gwynt fel i mi fethu cyrraedd y mannau hynny cyn bod y tair lamp wedi eu diffodd. Taniodd Nhad ac Alf ddwy ohonynt yr eilwaith wedi i mi gyrraedd y stabal a chanfuwyd fod mantl y drydedd wedi ei chwalu'n deilchion.

Pan ddihunais fore trannoeth roedd fy stafell wely yn ddu fagddu fel bol buwch a meddyliais fy mod wedi deffro'n llawer rhy fore. Gorweddais yn dawel ar wastad fy nghefn rhag tarfu ar neb nes sylweddoli fod lleisiau'n dod o'r gegin. Dyma danio'r gannwyll a cheisio edrych allan drwy'r ffenest. Ond fedrwn i weld dim. Fodd bynnag, ar ôl gwisgo ac agor drws y stafell gwawriodd y rheswm dros yr holl dywyllwch pan sylweddolais fod ffrynt y tŷ i fyny at y to o dan eira! Mewn gwirionedd, roedd yna gymaint o fynydd o eira wedi ei luwchio fel y bu'r darn olaf yno tan yr wythnos gyntaf o fis Mehefin. Welais i erioed gymaint o eira, gyda'r beudy bron o'r golwg a dim sôn am glawdd yr ydlan na'r llidiart a arweiniai i'r cae bach. Roedd y gwynt yn dal yn gryf a'r eira'n cael ei luwchio ar brydiau fel na allem weld ar draws Cae Cefn Tŷ.

Bu'n ddiwrnod prysur iawn gyda'r dynion yn clirio i wneud twnnel i'r beudy, clirio i gael lle i'r buchod a'r ceffylau fynd i'r nant am ddŵr a thorri llwybr at y tŷ bach. Roedd mynd i mewn i'r tŷ bach fel mynd i mewn i iglw, a feiddiai neb aros yno'n hir gan ei bod hi mor oer. Gymaint oedd y problemau i gael y gwartheg a'r ceffylau i mewn ac allan, dod o hyd i'r coed tân a'r glo, rhyddhau'r ddau fochyn tew a'r hwch a llu o anghenion eraill, methwyd â chwilio am y defaid tan ddydd Sul.

Roeddem ni'r plant wrth ein bodd gan fod yr argoelion am wyliau ychwanegol o'r ysgol yn edrych yn ffafriol. Buom wrthi'n twrio yn yr eira er mwyn dod o hyd i'r ieir, a bob tro y byddem yn canfod iâr wedi marw, byddem yn mynd â hi i'r tŷ i'w dangos. Ni chafwyd hyd i'r ceiliog coch Rôd Eiland tan fis Ebrill pan ddaeth ei gorff i'r golwg o dan yr eira a bu'n rhaid magu ceiliog arall yn ei le. Bu Glenys wrthi am hanner diwrnod yn clirio'n galed nes cyrraedd y tŷ tatws gyda'r addewid y byddai Mam yn gwneud tships i ni os medrem ryddhau'r tatws. Noson fawr hyd yn oed o dan amgylchiadau arferol fyddai noson gwneud tships gyda ni'r plant yn awchu i grafu'r tatws ac yna ymladd am y ddysgl pan gaem ein galw at y bwrdd.

Dros y penwythnos bu'n rhewi'n ddi-stop gyda'r canlyniad i'r tap dŵr wrth y drws cefn wrthod gollwng yr un diferyn. Am bron i chwe wythnos wedi hynny, buom yn cario dŵr bob dydd o bistyll Cornwal. Clywn fy nhad yn siarad â'r gweision ac yn gofidio am y defaid. Ychydig iawn oedd i'w gweld a'r lluwchfeydd erbyn hyn wedi caledu fel sment. Ychydig oeddem i wybod y penwythnos hwnnw y byddai dros hanner y ddiadell yn marw ac mai dim ond un rhan o ddeg o'r cyfri arferol o ŵyn fyddai'n clywed cân y gog.

Roedd y filltir a hanner o ffordd i'r pentre yn anobeithiol i deithio arni oherwydd ei bod yn is na'r caeau ac wedi llanw hyd at frig y perthi gan eira. Gwnaeth hynny fi'n reit ffyddiog na fyddai ysgol am amser hir. Cefais gryn sioc, felly, pan wawriodd bore dydd Llun a finne ar ben staer y cartws yn edrych allan i gyfeiriad y pentre a gweld tri o bobol yn dod i fyny ar draws y caeau. Bu'n fwy o sioc fyth pan sylweddolais mai Miss Rees oedd un ohonynt. Roedd hi wedi ennyn gwasanaeth dau o fechgyn y Cownsil i'w helpu i dorri drwy'r eira at yr ysgol. Erbyn amser cinio roedden ni i gyd, yn ogystal â phlant Cornwal ar draws y cae, yn ôl yn yr ysgol a Miss Rees yn canolbwyntio arna i fel y truan oedd i gynnig ar y Sgolarship yn y gwanwyn er mwyn anelu at yr Ysgol Sir yn Nhregaron. O hynny ymlaen fe gerddodd i fyny o'r pentre bob dydd am dros chwe wythnos, nes i'r ffordd gael ei chlirio, wedi ei gwisgo mewn cot fawr hir, welingtons a sgarff anferth am ei phen. Buaswn wedi rhoi unrhyw beth am luwch arall ar ben y cyntaf i'w rhwystro rhag dod i'r ysgol bob dydd.

Nid oedd sôn am dai bach yr ysgol ond roedd drws y tŷ glo yn glir gan fod yr eira wedi chwythu dros yr adeiladau cyfagos. Un diwrnod, a ninne'r plant allan amser chwarae'r bore, daeth Wag y ci i lawr o'r buarth gan gychwyn crafu y tu allan i dŷ bach y merched a gwneud sŵn fel petai'n ceisio dweud rhywbeth. Fe wnes i redeg i nôl Nhad yno i gael golwg. Dyna lle'r oedd Wag yn dal ati i grafu a griddfan. Aed ati i glirio'r eira gyda ni'r plant yn helpu Nhad ac Alf drwy glirio'r blociau eira a gaent eu torri a'u lluchio i'r neilltu er mwyn cael lle i symud ymlaen. Erbyn gorffen clirio daethom o hyd i hanner cant o ddefaid. Ond dim ond wyth ohonynt oedd yn dal yn fyw. Rhaid bod y drws wedi ei chwythu'n agored yn y storm ac wedi cau'r eilwaith y tu ôl i'r defaid ac eira wedi llanw'r lle a'u mygu. Bu Wag yn fwy o ffefryn fyth ar ôl hynny.

O ddiwedd Chwefror ymlaen, dechreuodd yr ŵyn bach gyrraedd gan greu sefyllfa a aeth yn fwy truenus o un dydd i'r llall. Byddai'r ddafad neu'r oen, truain, yn rhy wan gan achosi i'r naill neu'r llall farw. Erbyn canol mis Mawrth roedd ganddon ni un ar hugain o ŵyn swci yn y sièd wair ac âi awr o amser, fore a nos, i ddarparu llaeth a gofal iddynt. Cadwyd pob un o'r ŵyn benyw ymlaen i fagu, a llawer tro byddent yn cofio eu magwraeth ac yn dod ataf ar y cae. Bu un ohonynt fyw nes oedd hi'n bedair ar ddeg oed.

Aiff gaeaf 1947 byth yn angof petai ond am y lluwch mawr ar draws gwaelod cae Dôl Teifi allan dros yr afon i waun Dolebolion, lle cafwyd hyd i dros bum cant o ddefaid wedi marw. Ymysg y rhain oedd defaid o bobman wedi eu gyrru o flaen y storm, rhai wedi dod mor bell â Chwm Elan yn Sir Faesyfed. Roedd pwysau'r eira a'r rhew mor eithafol fel bod cyrff y defaid, druain, mor fflat â cheiniogau. Efallai mai'r darganfyddiad mwyaf emosiynol i mi oedd canfod hwrdd newydd *Improved Welsh* fy nhad yn farw y tu mewn i'r ywen uwch bedd Dafydd ap Gwilym yn y fynwent. Roedd y creadur druan yn crogi wrth ei gorn yng ngheudwll yr ywen ar ôl iddo geisio, mae'n debyg, neidio i fyny am flewyn glas ar fol y goeden.

Roedd y ffordd o'r pentre, fel y soniais, wedi ei llanw ag eira, yn enwedig o Bont Glasffrwd ymlaen. Ac erbyn i'r Cownsil glirio'r ffyrdd mwy, roedd hi'n anobeithiol cael gwared o'r eira gan ei fod wedi rhewi'n solet. Bu'n rhaid agor bwlch yn y clawdd rhwng Cae Bach y Crydd a Dôl Teifi, ac eto rhwng y Ddôl a Chae Gwair, fel y gallai'r gert fynd i'r pentre i nôl blawd at grasu bara a dwysfwyd i'r moch a'r lloi. Defnyddid y bylchau yma hefyd pan fyddai rhywun wedi marw ac angen dod â'r corff i fyny o'r pentre. Byddai'r dynion yn cymryd eu tro i gario'r arch bob yn ail nes cyrraedd y fynwent. Bu bron yn amhosib torri bedd fwy nag unwaith oherwydd y rhew, gyda'r pridd ar ôl ei geibio yn rhewi'n ôl yn syth yn lympiau mawrion. Bu nifer o eirch yn disgwyl am rai wythnosau yn yr eglwys heb fedru eu claddu oherwydd y rhew trwm. Doedd Jac Codi Baw ddim wedi'i eni bryd hynny, wrth gwrs.

Does gen i ond un cof erioed o weld hers a cheffyl, a hynny pan gladdwyd Bodo Ann Graigfach, gyda choben ddu Ifan Huws Llwyngwyddil yn tynnu hers gwydr

Dafydd Jenkins â phlu duon ar ffrwyn y gaseg. Roedd Bodo Ann yn perthyn i Mam a byddwn bob amser yn teimlo'n anniddig yn ei chwmni gyda'i chroen melyn, ei gwisg dywyll laes, cetyn clai yn ei cheg a chath ddu ddydd a nos yn gwgu ar y pentan. Pan ddarllenais am wrachod Macbeth flynyddoedd yn ddiweddarach, Bodo Ann ddaeth i'm meddwl.

Rhew mawr 1947 roddodd bensiwn i'r rhod ddŵr, mae'n debyg, gan i ni fethu â'i defnyddio o gwbwl at waith y sgubor fel tshaffio, pwlpio a malu. Byddwn wrth fy modd yn cael tynnu ar y lifyr bren oedd yn codi'r llifddor gan adael i'r dŵr arllwys i lwyau pren y rhod. Fel byddai'r llwyau'n llenwi byddai pwysau'r dŵr yn troi'r olwyn, a'r olwyn yn ei thro yn troi'r elfennau haearn nes byddai'r injan tshaffio'n mynd ffwl pelt. Gwaith anodd fyddai porthi'r peiriant, yn enwedig gyda gwellt rhydd, gan fod yna duedd iddo fynd yn bellen fawr a thagu'r peiriant. Pan fyddai hyn yn digwydd rhaid fyddai troi'r dŵr i ffwrdd a throi'r peiriant tuag yn ôl fel ei fod yn taflu'r gwellt i fyny, fel petai. O ganlyniad i'r methiant am wythnosau ar y tro i ddefnyddio'r olwyn ddŵr, prynwyd injan olew yr hydref canlynol a chollwyd berw'r trochion ym mhwll y rhod. Erbyn heddiw sylweddolaf i mi weld darn o hanes yn diflannu am byth pan darodd Wil y Glo law Nhad a chau drws y lorri'n glep ar gylch o rwd coch.

Rhyfedd meddwl na chaiff yr un plentyn eto eistedd wrth ochr y cafn dŵr gan luchio darnau coed a dail i ffwrdd er mwyn cynnal lefel llif y dŵr. Dyna lle byddwn am dri chwarter awr mewn cot fawr o eiddo Nhad a menig yn gwneud yn siŵr fod llwyau'r rhod yn llawn dŵr. 'Job i fagu niwmonia yw honna,' fyddai sylw Dai Cornwal.

Er bod y gaeaf hwnnw'n un diddorol a phleserus mewn llawer ffordd i fachgen deuddeg oed, na fedrai fesur na gweld y colledion ar lyfr banc ei dad, roedd Miss Rees yn prysur greu cwmwl uwch fy mhen. Ni châi diwrnod o ysgol basio na chawn fy atgoffa am y Sgolarship. Ysgrifennu traethawd, darn o waith Saesneg ac yna llond bol o waith rhifyddeg yn cynnwys y 'mentals', ffracsiynau ac un broblem fathemategol newydd bob dydd. Deallais cyn hir mai nid mynd i Dregaron i gynnig am le yn yr ysgol oeddwn i ond mynd i ryfel rhwng dwy ysgol lle nad oedd ond un canlyniad yn dderbyniol. Rhyfedd fel yr oedd y rhyfel yma wedi tyfu rhwng Dafydd ein hysgol fach ni a Goleiath ysgol fawr y pentre ar y llaw arall. Yr unig dro, er enghraifft, y bu i'r ddwy ysgol ddod at ei gilydd – i gwrdd â'r deintydd – bu'n ffrwgwd rhyngom ni'r bechgyn gyda'r canlyniad na chafodd neb dynnu dant y diwrnod hwnnw. Ynghlwm wrth y Sgolarship roedd Ysgoloriaeth y Dywysoges Soffia i'r bachgen neu'r ferch â'r marciau uchaf o'r ddwy ysgol a gwae fi, y truan bach, petawn i'n methu hon!

Euthum i'r arholiad fel oen i'r lladdfa. Cofiaf oedi wrth wal y Post Offis gan edrych ar Ben Bannau fel petawn yn cael ei weld am y tro olaf. Wrth fy ymyl ac o'r un ysgol roedd Marina Tyncwm â golwg Ethiopaidd arni yn ei gofid. Roedd y ddau ohonom â phensil, rwber a riwlyr newydd fel dau saer coed yn disgwyl am gorff i'w fesur. Pan gyrhaeddodd bws Wil Lloyd, neidiais i'r sedd wag gyntaf gan syllu'n fanwl i ddyfnder pâr o esgidiau newydd *Holdfast* a theimlo fod llygaid pawb yn llosgi drwy groen fy wyneb. Wn i ddim am Marina, ond welais i ddim yr holl ffordd i Dregaron ar wahân i fod yn ymwybodol fod fy mrecwast yn gwrthod aros yn llonydd ar waelod fy stumog. Niwlog ydi'r daith o'r bws i neuadd yr ysgol ond cofiaf yn iawn am y ddesg yn erbyn y wal ac wrth ochr pibau'r gwresogydd. Cyrhaeddodd y papur hirddisgwyliedig cyntaf gydag ugain o syms 'mental' i'w gorffen mewn deng munud. Fedrwn i ddim bod wedi cael dim byd gwell i gychwyn a gorffennais mewn chwe munud. Y fath sioc!

Rhywfodd, llithrodd fy nhroed chwith rhwng y biben wresogi a'r wal a fedrwn i ddim am unrhyw bres yn y byd ryddhau fy hun. Yn y diwedd, dyma blygu lawr a cheisio datod yr esgid. Ac yng nghanol y sgarmes dyma lais fel taran yn bloeddio, *'Are you cheating, boy?'* Bu bron i mi golli'r Sgolarship yn y fan a'r lle.

Pan gerddais allan ar ddiwedd y prynhawn, mae'n rhaid na fu'r un crwt deuddeg oed yn edrych mor hen erioed. Chwarae teg i'r hen Mrs Rees, mam Miss Rees, pan gyrhaeddais Rhydfen, eu cartref, i ddangos papurau'r arholiad yn ôl y gorchymyn, cefais baned a brechdanau cyn i'r adolygu gychwyn o ddifri. Pan ddyfarnwyd rai misoedd yn ddiweddarach mai fi oedd enillydd Ysgoloriaeth Soffia, daeth rhyw ryddhad mawr a theimlwn fel malwen wedi diosg ei chragen. Cefais dymor ysgol a gwyliau haf campus yn dilyn yr holl ofid a chyfle i ffermio o ddifri.

Un dydd Sadwrn, a Charles fy ffrind a finne heb lawer i'w wneud, dyma benderfynu mynd i fyny i Benddolfawr at Ewyrth Rhys i gael gweld beth oedd yn digwydd yno.

Wrth ddilyn y llwybr troed ar draws dolau Cae Madog gallem weld Rhys wrthi gyda'r ddau geffyl yn aredig ar ganol y ddôl fawr. Ni fuom fawr o dro yn chwilio am le bas a chroesi'r afon i fynd ato gan erfyn, fel arfer, am gael cynnig yr un wrth gyrn yr arad. Er syndod i mi, dyma gael caniatâd a finne'n cael tro rhwng y cyrn gyntaf. Cefais hefyd gydio yn awenau'r ddau geffyl, y ceffyl glas yn cerdded y gŵys a Teifi, y goben goch, yn cerdded y gwndwn. Roedd y ddau, mae'n debyg, yn cerdded yn rhy gyflym i mi fedru dal yr aradr yn syth a chadw'r swch yn wastad gyda'r canlyniad i'r gŵys fynd i mewn ac allan yn fas ac yn ddwfn bob yn ail. Yr un fu hanes Charles fy ffrind pan gafodd fynd yn ôl yr ochr arall. Ond chwarae teg i Ewyrth Rhys, ni wnaeth ddim ond chwerthin yn braf. Gymaint fu dyfnder y gŵys mewn ambell fan mwy tyner na'i gilydd o'r ddôl fel bod modd gweld yr olion hyd heddiw. Tybed a fydd rhyw hanesydd ryw ddydd yn ceisio olrhain achos yr olion rhyfedd ar wastadrwydd y ddôl?

Rhaid fy mod, serch hynny, wedi dangos rhyw fflach fechan o'r grefft o drafod ceffyl gwedd gan i Nhad fynd â fi i'w ganlyn gyda Fflowyr y gaseg las i sgyfflio swêds. Nhad i ddechrau yn mynd i fyny ac i lawr a finne'n dynn wrth ei ochr. Yna, cael cynnig fy hun. Hefyd cael troi ar ben talar gan siarad yn dawel â Fflowyr a thynnu'r lein at yr ochr dde i'w chael i'r dde nes ei bod yn ôl yn y rhych iawn. Stopio wedyn nes bod y sgyffliwr mewn llinell syth y tu ôl i'r gaseg, a ffwrdd â fi. Wedi pedwar tro heb unrhyw broblem dyma Nhad yn dweud ei fod am fynd 'nôl i'r buarth. Yn y man byddai'n dod â the i fi a gweld sut oedd pethe'n datblygu. Ar ôl pedwar tro arall ar fy mhen fy hun, teimlwn yn dipyn o gamster ac edrychwn yn ddyfal o gwmpas gan obeithio y byddai rhywrai o blith y cymdogion yn galw heibio a gweld gystal hosler oeddwn i. Rhyfedd, yntê, pan fo pethe'n mynd yn dda, does neb i'w weld i synnu at allu'r ifanc? Beth bynnag, fel yr âi'r prynhawn rhagddo, awn yn fwy haerllug wrth Fflowyr, mae'n debyg, gan dynnu ar y leiniau a gweiddi arni i gyflymu nawr ac yn y man. Tybed a oedd yr hen gaseg wedi cael digon ar hyn ac am ddangos ei hanniddigrwydd? Heb unrhyw rybudd dyma hi i ffwrdd ar draws y rhychau a'r sgyffliwr ar ei hôl. Er y gweiddi a'r tynnu, doedd dim yn tycio nes iddi gyrraedd y llidiart. Dyna lle roeddem pan gyrhaeddodd Nhad â'r te ac, wrth reswm, chefais i fawr o groeso na llawer o flas ar y te chwaith. Chwarae teg, serch hynny, i'r hen gaseg. Fe ddaeth y ddau ohonom yn dipyn o ffrindiau cyn diwedd ei gyrfa.

Gyda'r haf yn nesáu a'r Sgolarship drosodd roedd y pwysau yn yr ysgol yn lleihau a chyfle i ffermio a chwarae fin nos a'r penwythnosau. Trip hyfryd oedd yr un i fyny i olchfa Tywi lle byddai pum fferm yn dod at ei gilydd i gronni'r afon er mwyn golchi'r defaid. Erbyn yr haf byddai llifogydd y gaeaf wedi golchi cronfa'r flwyddyn flaenorol i ffwrdd bron yn gyfan a rhaid fyddai dechrau o'r newydd. Byddai rhai o'r dynion yn torri tyweirch, eraill yn hel a chario cerrig o wely'r afon gan osod y cerrig a'r tyweirch bob yn ail. Y gobaith fyddai cael tywydd sych a phoeth fel bod yr afon yn isel ac o'r herwydd ddim yn cronni'n rhy gyflym. Rhaid oedd cael digon o led yng ngwaelod mur y gronfa fel na wnâi pwysau'r dŵr olchi popeth i ffwrdd. Symudai'r certi'n

·gyson yn ôl ac ymlaen gyda glan yr afon gan gario cerrig i'r gronfa tra byddai dau neu dri wrthi'n torri tyweirch i lanw'r gwagle rhwng y cerrig.

I ni'r plant, y peth pwysica oedd y bwyd, gyda phob fferm wedi danfon basged yr un yn llawn brechdanau cig oer, llaeth enwyn a the oer mewn caniau tun. Cofiaf unwaith i'r plant anghofio gwarchod y basgedi ac i'r cŵn gael y gorau o'r wledd.

Unwaith y byddai llif yr afon wedi peidio, rhaid fyddai dilyn y gwely islaw'r gronfa – oedd erbyn hyn bron yn sych – a chael helfa reit dda o bysgod. Gwyddem mai ychydig o amser oedd ganddon ni nes byddai'r gronfa'n gorlifo a chynnig dihangfa unwaith eto i'r pysgod.

Wedi'r cronni byddai pob fferm yn golchi'r defaid i gyfateb â'u diwrnod cneifio. A chan mai ni oedd yn cneifio gyntaf o'r pump, ni hefyd fyddai'n golchi gyntaf. Roedd ein diwrnod cneifio ni yn disgyn ar y dydd olaf o Fehefin. Pe byddai yna ddydd Gwener arall yn y mis, cneifio Dolgoch fyddai ar y dydd hwnnw. Pe byddai'r degfed ar hugain yn disgyn ar ddydd Iau, rhaid fyddai symud ymlaen wythnos – a hynny, wrth gwrs, yn gwneud y cneifio yn gynnar iawn am y flwyddyn honno.

Byddai Nhad, ar fore golchi'r defaid, yn mynd i ffwrdd gyda'r cŵn ar gefn merlen i gwrdd â'r cymdogion i hel y mynydd tra cawn i, unwaith eto, drip yn y gert gydag Alf yn gyrru. Byddwn yn nychu llawer o Alf, druan, wrth erfyn am gael gyrru ac yn y diwedd byddai'r holl nychdod yn ei feirioli a chawn roi cynnig arni – ond ddim ond ar y darnau mwyaf gwastad o'r ffordd.

Ddois i erioed i ddeall pam oedd bwyd o'r fasged ar y mynydd gymaint yn fwy blasus na'r un arlwy adre. Rown i ar dorri fy mol eisiau bwyd bob tro wrth yr olchfa ac yn disgwyl cyhoeddiad Nhad, 'Reit, bois, gawn ni rywbeth bach i aros pryd.' Ar y ffordd adre byddai pawb yn dychwelyd gyda'i gilydd ac o'r herwydd ni chawn gyfle i gael gyrru'r gaseg.

Byddai'r trip yn ôl yn hwyl a byth yn para'n ddigon hir, er bod meddwl am y pysgod ar y badell ffrio yn codi pangau o archwaeth am fwyd. Teimlem fel cowbois ar y paith gan wylio olwyn y gert yn rhedeg ar erchwyn y dibyn ac eto byth yn mynd drosodd. Doedd dim sôn am Indiaid chwaith. 'Y diawled wedi eu saethu i gyd,' meddai Jim yr Hen Nachlog, 'rhag iddyn nhw chwalu'r gronfa wedi nos.' Edrychwn ymlaen at yr amser y cawn yrru'r gaseg las fy hun. 'Fydd hi'n blydi dominô ar yr Indians i'n dal ni wedyn,' medde Jim.

Gwyddwn fod golchi yn golygu nad oedd ond prin wythnos tan gneifio ac na fyddai raid mynd i'r ysgol o gwbwl y diwrnod hwnnw. Byddai'r wythnos cyn cneifio fel lladd nadredd. Pawb ar drot a phob diwrnod yn llawer rhy fyr. Wncwl Dani a Rol, ei fab, yn dod i bapuro a gwneud jobsys eraill o gwmpas y tŷ, hongian drws neu ddau ar y tai allan, mendio ffenest y beudy, a phob tro gosod coes neu ddwy mewn mainc a oedd wedi gweld dyddiau gwell. Nhad â'r bladur a'r cryman allan ac yn lladd pob coesyn dail poethion oedd wedi meiddio treiddio o fewn golwg i'r tŷ a'r ffald. Alf, Jac a fi yn sgrwbio'r beudy a'r tŷ pair i gychwyn, yna cymysgu calch mewn bwced neu badell fawr a dechrau gwyngalchu. Clymu brwsh bach wrth flaen pren hir i ymestyn y gwyngalch i fyny at y to. Dyma'r adeg y byddai'r corynnod yn ei gwadnu hi am eu bywyd cyn i'r calch eu dwyn i ebargofiant. Gwyngalchu wal cefn y tŷ wedyn a thynnu'r chwyn a oedd wedi darganfod rhyw wendid yn y concrid.

Yn y tŷ byddai diflastod llwyr gyda'r llestri cinio o waelod y cwpwrdd deuddarn yn cael eu golchi a'u gosod fel sowldiwrs yn rhes ar fwrdd y parlwr. Adenydd gwyddau wedi'u lapio yn y *Welsh Gazette* adeg y lladdfa fawr cyn y Nadolig yn dod allan ac yn gwibio fel nadredd pluog i bob cornel lle'r oedd unrhyw debygolrwydd fod llwch yn cuddio. Addurniadau pres y ceffylau yn dod i'r gegin gefn fel llygod at gaws. Mam-gu a Nans yn rhwygo pob hen grys a fest yn glytiau a drewdod Brasso yn troi ar bawb.

Y peth agosaf at gerdded i mewn i'r tŷ yn ystod y deuddydd cyn cneifio alla i feddwl amdano oedd mentro drwy ganol mein-ffîld. 'Paid cerdded ar y teils glân!'; 'Watsha lle rwyt ti'n rhoi dy draed!'; 'Paid pwyso yn erbyn y paent ffres!'

'Uffernol' fyddai disgrifiad Nhad o'r sefyllfa, er ei fod yn gofalu na fyddai Mam yn cael gwybod hynny. Rhaid oedd cael bîff a chig gwedder at y cinio – y bîff o Dregaron oddi wrth Llew'r cigydd, ond y cig gwedder o ganlyniad i dranc gwedder oedd wedi bod yn pesgi ar y caeau. Byddai Nhad yn dod â thri neu bedwar i mewn i'r stabal ac yna deuai Mam allan i ddewis un, yn union fel mae cwsmeriaid tŷ bwyta heddiw yn medru dewis pysgodyn o danc dŵr. Ar ôl y dewis, fe gawn i'r pleser gwaedlyd o helpu gyda'r lladdfa ac yna i hongian y creadur i fyny wedi iddo gyfarfod â'i Greawdwr.

Torri coed fyddai'r dasg nesaf er mwyn tanio'r ffwrn wal – a honno'n mynd yn ddi-stop am rai dyddiau.

Torthau bara, torthau cacen a'r pwdin reis. Roedd Mam yn gamster ar bwdin reis a bob amser yn ymffrostio nad oedd llond pig dryw ar ôl wedi ei gorchest fawr, gyda'r cyfan wedi'i fwyta.

Rywfodd, rywbryd yng nghanol yr holl brysurdeb byddai Mam yn dod o hyd i amser i gael hôm pyrm – gan amlaf tua un ar ddeg o'r gloch y nos ar noswyl y cneifio. Bore Gwener, a'r dynion wedi cychwyn am gneifio Dolgoch, byddai rhyw dawelwch a hedd yn disgyn dros y tŷ a'r adeiladau o gwmpas, a Mam yn eistedd gyda phaned o de wrth ben y bwrdd fel petai wedi bod i uffern a rywfodd wedi darganfod ei ffordd yn ôl. Bellach, am fis, byddai'r dynion i ffwrdd bob dydd naill ai'n golchi, yn hel neu'n cneifio a Mam hithau'n mynd 'nôl i gartrefi'r gwragedd oedd wedi bod yn ein helpu ni. Dysgais inne gneifio mor fuan ag oedd bosib er mwyn cael esgus digonol i golli ysgol ac, wrth gwrs, er mwyn cael brolio wrth y bechgyn eraill fy mod i bellach wedi rhoi'r gorau i luchio llinynnau a chario lan a lawr.

Pwy, tybed, sy'n penderfynu pryd mae plant yn cael eu geni? 'Rannwyl, mae lot llai o waith gan blant heddiw! Roedd angen tân i bopeth erstalwm, a lle'r oedd tân roedd angen coed a glo. Câi'r defaid eu marcio â phitsh, a hwnnw'n flociau caled y byddai'n rhaid eu toddi ar y tân. Ar ben hynny câi pob oen fenyw farc llosg wedi ei serio ar ei thrwyn. 'A' a 'T' arni oedd ein marc ni gyda'r 'T' yn cyfateb i enw bedydd Nhad, sef Thomas, a'r 'A' yn cyfateb i gyfenw'r teulu. Ac ar y trwyn y llythyren 'N', honno'n cyfateb i enw llafar y fferm, sef Nachlog.

Dysgais gneifio pan own i'n ddeuddeg oed, a hynny yng nghneifio Nantstalwyn, fferm fynydd fawr ar fynyddoedd Tregaron gyda thair mil o ddefaid. Cadwent weddrod, neu fyllt, yr adeg honno. Fe gychwynnais yn y gorlan gyda Carnera'r trempyn, ef yn dal defaid a finne'n dal yr ŵyn. Gwisgai Carnera fwgwd am ei wyneb bob amser a byddai pren byr yn aml yn ei geg. Ni wnâi fyth dorri gair â fi. Amser cinio deuai un o'r merched â'i ginio a'i bwdin allan iddo a byddai'n arllwys y pwdin i ben y cinio a bwyta'r cyfan gyda'i gilydd. Wedi cinio byddai llawer o'r dynion yn chwarae cardiau, gêm o Pontŵn fel arfer, a Charnera yn ymuno yn yr hwyl. Ac ef, yn ddiffael, fyddai'n ennill fwyaf o bres.

Gan fod llawer mwy o ddefaid nag o ŵyn, ac yn enwedig gan fod Nantstalwyn yn cadw myllt, byddwn yn gorfod helpu Carnera i ddal defaid. Roedd hwn yn waith caled, yn enwedig dal y myllt, a dyma Rod Williams o'r pentre yn dweud, 'Gad i'r diawl eu dal nhw'i hunan.' Ac fe wnes. Wrth ei ochr roedd Dai Cornwal, a byddai gan Dai bob amser ddau wellaif. 'Pam dau wellaif?' gofynnodd Joe Bryneithinog unwaith i Dai. 'Fel bod modd rhoi rest i un ar ôl iddo fe boethi,' oedd ei ateb. Cefais fenthyg gwellaif ganddo'r diwrnod hwnnw ac ni wnes fynd yn ôl i gario defaid ar ôl hynny.

Byddai'r ardal yn cneifio am fis cyfan, a hynny bob dydd, ac roedd pob fferm â'i dydd arbennig. Golygai hyn fod unrhyw fferm oedd yn methu cneifio oherwydd y glaw yn gorfod troi'r defaid yn ôl i'r mynydd a mynd i ddiwedd y rhestr. Mae'n werth nodi'r drefn oedd yn bodoli yn ein hardal ni.

Dydd Llun olaf Mehefin   Nantyrhwch
Dydd Mawrth   Penwernhir
Dydd Mercher   Maesglas

Dydd Iau	Y Fynachlog Fawr
Dydd Gwener	Dolgoch
Dydd Sadwrn	Dolebolion a Dolbeudyau
Dydd Llun	Nantstalwyn
Dydd Mawrth	Berthgoed
Dydd Mercher	Blaenglasffrwd a Chefngaer
Dydd Iau	Maesllyn a Llwyngronwen
	(defaid Blaengorffen)
Dydd Gwener	Nantymaen a'r Hen Fynachlog
Dydd Sadwrn	Bryneithinog a Throedrhiw
Dydd Llun	Frongoch
Dydd Mawrth	Grofftau
Dydd Mercher	Pantyfedwen a Bronhelem
Dydd Iau	Tynddol a Gilfach-y-dwn Fawr
Dydd Gwener	Y Wernfelen
Dydd Sadwrn	Allt-ddu a Chaemadog
Dydd Llun	Nantllwyd a Brynhope
Dydd Mawrth	Bronmwyn
Dydd Mercher	Gilfach-y-dwn Fach
	a J. R. Jones, Gwndwn Gwinau
Dydd Iau	Hafodnewydd
Dydd Gwener	Tywi Fechan
Dydd Sadwrn	Bwlch-y-ddwyallt

Byddai pawb yn teithio o un fferm i'r llall ar ferlod, a rhaid fyddai cael cae wrth law i gadw'r merlod hynny am y dydd. Ar ddiwrnod cneifio yn Nantstalwyn fe fyddai cymaint â chant o ferlod yn y cae. Ar ben hynny byddai lorri T. L. Hughes o'r Bont a lorri J. D. James o Dregaron yn cario llwyth yr un o weithwyr yno. Ar ffermydd mawr y mynydd cedwid cyfrifon y defaid ar ddarn o bren byr pedairochrog gyda'r cyfrifydd yn torri hafn ar ei draws â chyllell, un hafn yn cynrychioli pob deg creadur. Byddai un ochr ar gyfer defaid magu, un i'r myllt, un i'r defaid gwerthu ac un i'r hyrddod. Bob amser, cyfrifoldeb dyn y pitsh oedd gweiddi'r wybodaeth allan wrth osod marc pitsh ar bob creadur. Roedd hwn yn gyfrifoldeb mawr ac yn cael ei roi yn bennaf i un o hynafgwyr y bugeiliaid. Câi mainc ei gosod y tu allan i'r sièd gneifio bob amser a hon fyddai'r sêt fawr. Eisteddai hynafgwyr arni, yn aml iawn mewn hetiau gwellt a chotiau melyn llaes. Yno byddent yn trafod safon y cneifio, ansawdd yr ŵyn a phynciau pwysig eraill.

Ar ddiwedd tymor cneifio, anodd iawn fyddai setlo lawr i fywyd gartre a chychwyn o ddifri ar y cynhaeaf gwair.

Newid Ysgol

Os oedd gaeaf 1947 yn dyngedfennol, gwaeth fyth oedd y mis Medi canlynol pan oedd rhaid dechrau cwrdd â'r bws boreol yn y Bont i fynd i Ysgol Sir Tregaron. I ddechrau, rhaid oedd cael iwnifform, a Mam, druan, â llond tŷ o blant heb yr arian i fedru prynu'r dillad angenrheidiol.

Aed â fi gyntaf i Ffair Rhos, cartre Mam, at Twm y Crydd i gael fy ffitio am bâr o sgidiau. 'Fe wna i bâr o sgidie i ti,' medde Twm, 'fydde Brenin Lloeger yn falch o'u cael petai e'n ddigon o ddyn i'w cario nhw.' Pan gyrhaeddodd y sgidie hoelion mawr yn pwyso tunnell, gwyddwn yn iawn beth oedd gan y crydd yn ei feddwl. Cefais dei ar ôl Anti Mat, crys ar ôl Wncwl Wil, fedrai fod wedi mynd ddwywaith amdanaf, a chot a throwsus ar ôl mab i chwaer Miss Rees. Heddiw byddai pobl yn pwyntio ataf fel un o blant y ffoedigaeth.

Felly, gyda dim ond sgidiau a thrôns wedi eu cynllunio yn arbennig ar fy nghyfer, dyma gerdded i gwrdd â bws Wil Lloyd at y Post Offis yn y Bont. Cyrhaeddodd y bws a dyma naid i mewn ac anelu at y cefn. Cic a chlusten yn y fan honno a 'Cer yn ôl i'r ffrynt lle mae dy le di.' Ddwedodd neb wrtha i mai lle'r Sîniyrs oedd y seddau ôl!

Yn yr ysgol, fe basiodd yr awr a thrichwarter gyntaf yn sydyn. Cefais lased o laeth ac allan â ni i gefn yr ysgol i ochr y bechgyn. Cyn fy mod i wedi troi, bron, dyma bump neu chwech o Sîniyrs yn ein gyrru ni'r newydd-ddyfodiaid i mewn i ryw sièd sinc fawr. Safai'r Sîniyrs wrth y drws ac meddai un clamp o fachgen mawr, 'Pawb ohonoch chi i ddod fyny fan hyn bob yn un a rhaid i chi naill ai ganu, adrodd neu ddweud jôc.' Cofiaf y criw cyntaf yn mynd a bron yn ddieithriad gwelwn bob un yn cael pìn neu nodwydd yn ei din wrth fynd allan. Daeth fy nhro inne, a dyma bìn fel procer yn suddo i 'nghnawd a chofiais am sgidiau Twm y Crydd. Bu'n gythrel o sgarmes a'r esgid dde yn codi mwy nag un brecwast i'r amlwg. Ond yn y diwedd, allan â fi yn waed i gyd. Dim tei, a heb fod un botwm ar ôl ar grys Wncwl Wil.

Teimlwn awydd cerdded adre ond, chwarae teg, daeth un neu ddau o'r bechgyn lleiaf i helpu gan olchi'r gwaed i ffwrdd a chwilio am y tei. Fe basiodd y diwrnod rywfodd a finne'n dal yn fyw. Trannoeth daeth capten y tîm Ship Ahoy ataf, bachgen mawr o'r pedwerydd dosbarth, gan ofyn i mi ymuno â nhw. Roedd angen un bach ar bob tîm.

Cynhwysai tîm llawn Ship Ahoy saith o fechgyn, chwech ohonynt yn gryf a mawr – ac un bach. Yn ein tîm ni, fi oedd hwnnw. Byddai'r saith aelod o un tîm yn cychwyn wrth wal y sièd gyda'r cyntaf – yr un bach – yn plygu a phwyso ei ddwylo yn dynn yn erbyn y wal. Byddai'r nesaf yn plygu tuag ato gan osod ei ddwylo ar gefn y cyntaf ac yn y blaen nes byddai'r rhes o saith yn plygu, un y tu ôl i'r llall. Fe gychwynnai'r cyntaf o'r tîm arall – y lleiaf eto – neidio'n ddigon pell ymlaen i wneud lle i'r chwech arall. O fethu â gwneud hynny, byddai'r tîm arall yn sgorio. Yna, gyda'r saith i fyny ar gefn y tîm cyntaf, byddai yna ysgwyd mawr a chicio er mwyn ceisio dymchwel y rhai oedd yn plygu lawr. Eto, os medrai'r tîm wrthsefyll yr holl ysgwyd, byddai'n sgorio. Ond pe byddai'n dymchwel, yna'r tîm uchaf oedd yn mynd â'r marciau. Pam galw'r gêm yn Ship Ahoy, wn i ddim. Ond yn sicr, bu'n help mawr i mi. Fyddai neb wedyn yn meiddio ymosod arnaf. Mae'n debyg, er yn fychan, i fi fynd drwy'r ysgol yn weddol ddiffwdan ar ôl hynny yng nghysgod Ship Ahoy a phwysau sgidiau Twm y Crydd.

Doedd gen i fawr o ddiddordeb mewn nifer o'r pynciau a byddwn wedi eu diystyru'n llwyr oni bai fod dylanwad Miss Rees mor gryf arnaf o hyd. Byddai'n fy stopio byth a hefyd i drafod y gwaith, a mynnai weld fy *reports* ar ddiwedd pob tymor. Doedd y ffaith fod cynifer o'r gwersi yn Saesneg fawr o help. Teimlwn, serch hynny, fod rhaid gwneud ymdrech petai ond er mwyn Miss Rees.

Fedrwn i ddim dod ymlaen o gwbwl â'r athro Saesneg, Dai Williams, a byddai'n fy annog yn gyson i alw yn y Co-op i brynu caib a rhaw. Cawn y teimlad ei fod yn casáu meibion fferm a'i fod yn credu mai dim ond yn yr ysgol i greu trafferth oeddem fel criw. Ond fe gafodd ei ddal gan Sianco Nantllwyd un bore pan ofynnodd am gael gweld ein Hômwyrc Bwcs. *'I'm sorry,'* medde Sianco yn ei Saesneg gorau, *'I've forgotten it, sir.'* *'Good God, Sianco,'* medde'r athro, *'the day you'll bring in your homework, I think I'll drop down dead.'* Ac fel mellten dyma Sianco'n ateb, *'I'll bring it in tomorrow morning, sir.'*

I fab fferm, anodd oedd gweld gwerth mewn Lladin, yn enwedig gan fod un o'r gwersi hynny ar bnawn Gwener, gyda deuddydd o ryddid o fewn ein gafael.

81

Rywfodd neu'i gilydd aeth pethau o ddrwg i waeth rhyngof a Mr Pardoe, yr athro Ffiseg, hefyd. Credaf i mi dorri record yr ysgol am y nifer o weithiau y bu'n rhaid i mi ysgrifennu hyndred leins iddo. Bu Ted Wff a finne am fore cyfan yn trafod sut i wneud bom i chwythu'r labordy'n deilchion, ond ni fu'r trafodaethau'n llwyddiant mawr.

Gwelais orau llawer o'r athrawon, serch hynny, ac erys Miss Boden, Miss Treharne, James Chem a Miss Williams yn y cof, nid yn gymaint, efallai, am eu gwersi, ond yn bennaf am y sment a osodwyd ganddynt i adeiladu bywyd arno wedyn. Serch hynny, anodd oedd i fab fferm weld dyfodol mewn gwersi a gwaith cartre. A dyna pryd y daeth geiriau doeth John Jenkins i'r cof. 'Os fyddi di byth mewn pwdel, paid â gadael iddo fe fynd dros ben dy sgidie di – edrych am lwybr sychach.' A dyna wnes i.

Yn Ysgol Tregaron ar y pryd roedd gwersi amaethyddol, a chynigid rhyw gymaint o waith ymarferol ar ddarn o dir a elwid y Plot lle y câi llysiau di-ri eu tyfu. Byddai'r cynnyrch i gyd, yn ei dro, yn mynd i'r gegin at Mrs Williams y Cwc a'i chriw at fwydo'r disgyblion amser cinio. Erbyn diwedd y flwyddyn, gyda chyngor John Jenkins yn dal yn y cof, roeddwn yn enillydd y wobr amaethyddol fel y disgybl mwyaf gweithgar. Daliodd hyn, fel y disgwyliwn, lygad Mr Griffiths, yr athro, a chefais i a John Penbont, mab fferm arall, ein dyrchafu i fod â gofalaeth am y Plot. Efallai ar y cychwyn fod gofalaeth yn air rhy gryf gan mai ein prif ddyletswyddau fyddai rhannu'r offer, gofalu eu bod yn lân ac yn cael eu dychwelyd a'u gosod yn ôl yn eu lle priodol. Ond, yn bwysicach fyth, y ni fyddai'n gofalu fod y bechgyn eraill yn gwasgaru'r gwrtaith 'hop' yn fân ac yn gyson yn y rhesi. A'r mwynhad pennaf oedd gweld y bechgyn yn gorfod trin y gwrtaith â'u dwylo. Roedd y gwrtaith yn drewi'n waeth na chwt mochyn – a hwnnw'n dioddef o'r bib.

Drwy wneud yn siŵr ein bod ni'n tynnu sylw Mr Griffiths at bopeth roedd angen ei wneud y daeth y dyrchafiad mawr. Cael mynd â whilber yn llawn tatw a llysiau draw i'r cantîn. Fan honno byddai Mrs Williams yn rhoi pwdin sbâr i ni os byddai peth drosodd ar ôl cinio, neu ragflas o'r bwyd fyddai i ginio pe byddem yno yn y bore. Cofiaf un tro weld jam tarts oedd newydd ddod allan o'r ffwrn yno ar y bwrdd. Fel pob un dwl, llyncais un ohonynt heb sylweddoli fod y jam yn ferwedig. Fe fues i bron marw, a chollais groen to fy ngheg gyda'r canlyniad na allwn fwyta fawr ddim am tua mis.

Beth bynnag, cynyddu wnâi cyfrifoldeb John a minne ac ar ôl dwy wers i lawr ar y Plot dyma gael mynd i fyny i ardd Mrs Griffiths, gwraig yr athro, i docio'r coed afalau. Roedd Griffiths ei hun yn ein gwylio ni o ddrws y gegin i ddechrau ond cyn hir, o weld ein bod ni'n feistri ar ein gwaith, aeth yn ôl i'r tŷ. Ymhen wythnos cawsom ein hunain yng ngardd Doctor Davies, un o gymdogion Griffiths, a phethau'n argoeli'n dda am i ni gael osgoi rhagor o wersi. Ac yn wir, y dydd Mawrth canlynol, dyma Griffiths yn ein harwain i mewn i ardd y Prifathro'i hun, D. Lloyd Jenkins, lle'r oedd tua phedair coeden afalau a nifer o ieir yn crafu o gwmpas. Roedd lein ddillad Mrs Jenkins yn rhedeg ar draws yr ardd a'r prynhawn arbennig hwn roedd ei chot ffwr yn hongian allan arni. Gosododd John yr ysgol yn erbyn y goeden gyntaf a dyma gychwyn torri a didoli'r canghennau. Fel Bois y Cownsil, cymerwyd amser i wneud y gwaith a pheidio â thocio'n rhy wyllt er mwyn cadw'r gwaith i fynd. Yng nghanol hyn i gyd dyma geiliog Rôd Eiland Red yn chwalu llwch a phridd wrth godi a hedfan gan ddisgyn ar y got. Rôd Eiland Red oedd brîd ieir Mam hefyd nes i'r hen geiliog fynd i ebargofiant yn eira mawr 1947. Fe safodd John a finne'n llonydd rhag styrbio dim ar y deryn nes, yn sydyn, dyma'r ceiliog yn gwneud yr hyn y mae pob ceiliog yn debyg o'i wneud gan adael smonach, a hwnnw'n rhedeg i lawr ar hyd blew'r got. Rhaid nawr oedd gweiddi ar Mrs Jenkins a dyma hi'n dod o'r gegin ar ras. Chwarae teg iddi, diolchodd i ni am fod mor graff. Ond roedd hi'n amlwg yn ôl wyneb Mr Griffiths pan gyrhaeddodd nad oedd ein hactio ni wedi twyllo fawr ddim arno. Bu'n dalcen caled i adennill ei ffydd, ac o edrych yn ôl byddai wedi bod yn well i ni, i'r got ac i'r ceiliog petaen ni wedi gwrthod, am unwaith, i natur gael rhedeg ei gwrs.

Eto, meistr caled yw natur bob amser gan roi rhywun yn y pwdel, ac os nad dros ben ei sgidiau, yn siŵr ddigon at y carrai uchaf yn ddieithriad. Dod 'nôl oeddwn i ar fws Wil Lloyd, ac wrth ddod i lawr ar hyd Terrace Road, beth oedd yn dod fyny'r ffordd i'n cyfarfod ond hwch Sadlbac Nhad. Hwch fawr ddu â bandin gwyn ar draws ei chefn. Dyna pam, meddai Alf, y cafodd y brîd ei enw. Disgynnais o'r bws ond cyn i fi gael cyfle i wneud dim, dyma Defis y Plismon allan o'i dŷ gyferbyn â'r Post

Offis. Dim ond fis ynghynt y cyrhaeddodd y pentre ac eisoes roedd pawb â'i ofn.

'Dere 'ma,' medde fe. 'Ai hwch dy dad yw honna?'

'Ie,' medde fi, heb ddysgu sut oedd ateb plismon ar y pryd.

'Wel, dweda wrtho fe am wneud rhywbeth ar unwaith,' medde Defis, 'neu mi fydda i fyny â symons iddo fe.'

'All e ddim gwneud dim byd,' medde fi, 'isie ba'dd mae hi.'

Ches i ddim cyfle i ddweud mwy gan i law Defis fy hanner codi o'r llawr ac, yn ôl Dafydd Huws y Masiwn oedd yn sefyll gerllaw, fyddwn i ddim wedi mynd yn gyflymach i fyny'r ffordd petai injan yn fy nhin i! Be wyddai plismon newydd am y ffaith fod pob hwch yn gwybod lle i fynd pan fyddai eisiau ba'dd? Roedd yr hwch wedi hen arfer cerdded i'r Bryn at deulu Thomas, ac ar ôl rhai dyddiau yno byddai'n dilyn y ffordd yn ôl.

Cafodd mwy nag un ffermwr amser caled gan Defis pan fyddai creadur yn torri allan i'r ffordd fawr, yn enwedig teulu Dolfawr, lle byddai'r tarw byth a hefyd yn dod dros y clawdd. Dim ond i'r tarw druan ddangos ei drwyn dros y clawdd byddai Defis yno. Digwyddai hynny mor aml fel i Aeronian, mab y ffarm, ei alw'n gowman Dolfawr.

Bu Defis a minne'n cynnal ein rhyfel bach ein hunain am nifer o flynyddoedd – fi heb olau ar y beic ac yntau ar fy ôl. Deuthum yn gamster ar wybod lle'r oedd ei guddfannau a byddwn yn dianc bob tro. Serch hynny, neidiodd allan o rododendrons Dolgoed un noson a chafodd afael yn ysgwydd fy nghot fawr. Ond rywfodd llwyddais i ddod allan ohoni a'i gadael yn ei law. Ac i ffwrdd â fi ar y beic. Fe ddwedodd wrtha i droeon am nôl y got ond gwadwn yn daer fy mod i wedi colli cot o gwbwl!

Gallaf gyfaddef heddiw i mi reidio beic am flynyddoedd heb erioed ddefnyddio golau blaen nac ôl. O'r herwydd, cefais fwy nag un ddamwain, yn enwedig ar ambell noson fwy tywyll na'i gilydd. Cofiaf un noson ddod adre'n hwyr tua chanol mis Medi a tharo ar draws buwch oedd yn gorwedd ar y ffordd. Wn i ddim ai'r fuwch ynte fi gafodd yr ofn mwyaf. Daeth tymor Defis fel plismon pentre i ben o'r diwedd, a'r diwrnod wnaeth e adael, fe es i nôl fy nghot. 'Rown i'n gwybod mai ti'r diawl bach oedd piau hi,' medde fe, a gwên fawr ar ei wyneb.

Os bu 1947 yn flwyddyn y newid, anghofia i ddim o 1948 chwaith. Yn Chwefror y flwyddyn honno cafodd Nhad niwmonia. Fedrwn i ddim cofio'i weld yn y gwely cyn hynny. Bu'r doctor draw droeon a Nyrs Davies o'r pentre i fyny i osod powltis am ei ganol bob dydd. Dyna lle'r oedd Mam yn ein siarsio ni'r plant rhag rhedeg o gwmpas a chadw sŵn ar y llofft a chlywais Alf yn dweud wrth Tomi'r Post fod Nhad mor wan â brwynen.

Yn ystod y cyfnod hwn dechreuodd llygod mawr ymddangos yn yr adeiladau i gyd, hyd yn oed yn y tŷ. Byddai'r llygod hyn yn ymddangos yn heidiau gyda'i gilydd, hyd yn oed gefn dydd golau gan chwalu'r ŷd, briwio'r swêds a'r mangls a thynnu cerrig allan o'r muriau. Un prynhawn, pan oedd Mat y forwyn yn mynd â phaned o de i fyny'r llofft i Nhad, daeth pymtheg llygoden fawr i gwrdd â hi. Fe luchiodd y te i'r awyr a dianc am ei bywyd yn ôl i'r gegin. Yn ystod y cyfnod hwn fe chwalwyd bwydydd yr anifeiliaid a dihangodd y cathod a dau o'r cŵn i ffwrdd.

Un noson clywyd Glenys fy chwaer yn crio yn ei stafell a phan aeth Mam ati, fe ffeindiodd fod llygoden wedi cnoi ei bawd a bu'n rhaid iddi gael triniaeth. Erbyn hyn roedd nerfau pawb yn yfflon nes i Alf ddod i fyny o'r pentre un bore tua phump a dweud iddo weld cannoedd o lygod mawr gyda llygoden wen yn eu harwain ar draws y Cae Gwair a thros afon Teifi tuag at fferm Dolebolion. Mae'n debyg iddynt wneud yr un difrod yno cyn symud ymlaen i rywle arall.

Bu'n rhaid llosgi'r holl fwydydd anifeiliaid gan eu bod yn drewi o faw llygod ac yn rhy beryglus i'w defnyddio'n borthiant i'r anifeiliaid. Yn rhyfedd iawn dychwelodd y cathod ac un o'r cŵn fel pe baent yn gwybod fod y perygl drosodd. Golygodd hyn hefyd fod sbri Charles Cornwal a fi wedi dod i ben wrth i ni redeg o'r ysgol i'r ydlan a gweld rhesi o gynffonnau llygod yn sticio allan o'r wal. Byddem wrthi bob nos yn cydio'n dynn mewn un gynffon ar ôl y llall a thynnu'r llygod allan a chnocio'u pennau yn erbyn y wal. Bygwth clefyd arnom o ganlyniad i gael ein cnoi wnâi Alf pe na wnaen ni roi'r gorau iddi. Ond trwy lwc diflannodd y giwed cyn i hynny ddigwydd.

Gyda diflaniad y llygod dechreuodd pethe newid yn araf, hynny i ddechrau am fod Nhad ar wella er yn methu gwneud cymaint o waith â chynt. Sylwais fy mod i'n gwneud mwy o waith fferm ar ôl ysgol gan osgoi'r hômwyrc fwy a mwy. Teimlwn hefyd fod gwaith fferm yn fwy diddorol a bod Nhad ac Alf yn galw'n gynyddol am fy help. Doedd hyn ddim yn plesio Mam na Miss Rees –

y ddwy am fy ngweld yn mynd i goleg, ac Anti Penddolfawr eisiau i mi fynd yn Ficer. Dywedais hynny wrth Alf un diwrnod a'i ateb oedd, 'Paid â bod yn blydi ffŵl. Does dim pres mewn pregethu.' Llithro fwyfwy o'r golwg wnaeth y coleg a'r pregethu wedi hynny, yn enwedig ar ôl tymor yr hydref y flwyddyn honno.

Mae Tachwedd 1948 wedi ei serio ar fy nghof. Dyna'r diwrnod y bu farw Miss Rees a hithau ond yn 57 oed. Rai dyddiau'n ddiweddarach safai pedwar ar ddeg ohonom ar lan y bedd ar ddydd ei hangladd. Deuddeg o blant oedd yn dal i fynychu'r ysgol fach a Marina Tyncwm a finne yno fel y ddau olaf i adael am yr ysgol fawr yn Nhregaron. Roedd glaw yn chwipio ar draws afon Teifi a diferion mawr yn rhedeg lawr y cerrig beddau fel petai'r Brenin Mawr ei hun yn crio o ddyfnder ei enaid wrth weld ei gamgymeriad. Cerddodd pob un ohonom, un ar ôl y llall, at y bedd gan edrych i lawr ar yr arch. A dyna pryd y gwelais ei henw hi'n llawn am y tro cyntaf: Mary Gwendoline Rees, C.M. Swniai'n rhyfedd iawn i rywun oedd wedi treulio oes yn ei galw hi'n Miss.

Soniodd y Ficer lawer iawn am ei doniau a chofiwn inne am yr eisteddfodau a'r dramâu y cefais hyfforddiant ganddi ar eu cyfer. Adrodd yn ysgoldy Glanrafon, a adeiladwyd gan y Methodistiaid Calfinaidd allan ar y comin lle codwyd nythaid o dai unnos. Cofio Alf a fi yn cerdded dros fanc Waunwen ar draws y comin ac allan dros dir Gilfach-y-dwn Fach a phobman yn dywyll bost. Dechrau 'nôl tua hanner nos gan groesi eto drwy gaeau Gilfach-y-dwn Fach ac yn sydyn yn clywed sŵn traed yn ei heglu hi ar draws y cae ar ein hôl. Wedi yfflon o ras, sylweddoli mai bustych oedd yno, a'r rheiny'n cael eu porthi allan gan y ffermwr, John Jones. Cerddem hefyd dros weithiau mwyn Bronberllan i fyny i ysgoldy Caersalem yn Ffair Rhos ac, wrth gwrs, i bob eisteddfod yn y Bont.

Roedd tri pharti drama yn yr ardal yr adeg honno a Miss Rees yn gofalu ar ôl dau ohonynt. 'Gwnewch yn siŵr eich bod yn ymateb i bob sefyllfa wnaiff godi,' oedd ei chyngor bob amser. Cofiaf estyn tebot mewn un ddrama ac yn sydyn dyma'r caead i ffwrdd a thros erchwyn y llwyfan i'r gynulleidfa. Neidiais yn syth ar ei ôl gan ei ailosod ar y tebot. 'Da iawn,' oedd barn Miss Rees er i Dai Huws ddweud wrtha i'n ddiweddarach, 'Beth ddiawl oeddet ti'n feddwl, y twpsyn, yn rhedeg bant o'r llwyfan?'

Cofiaf yn dda am Dai, flwyddyn yn ddiweddarach, yn gwisgo barf mewn drama, ac yn ystod egwyl o'r llwyfan yn ei thynnu hi bant. Mewn ymateb i alwad sydyn i fynd yn ôl, anghofiodd ei hailosod. John Jenkins oedd ar y llwyfan pan aeth Dai yn ei ôl. Ac mewn ymgais i guddio'r camgymeriad dyma fe'n dweud wrth Dai, 'Gwelaf eich bod wedi eillio ers ein cyfarfod diwethaf.' 'Damio!' oedd ymateb Dai gan redeg allan i nôl y farf. Bu'n hir cyn iddo gael anghofio'r digwyddiad hwnnw.

Na, heb Miss Rees buasai gen i dipyn llai o ddiddordebau ac fe fyddwn yn dipyn llai o werth mewn cymdeithas heddiw. Pwy a ŵyr, wrth edrych yn ôl, efallai, pe byddai Miss Rees wedi cael yr iechyd a'r nerth i fyw am ddeng mlynedd arall mae'n ddigon tebygol, o dan ei dylanwad hi, mai'r coleg fyddai wedi ennill y dydd. Yn dilyn ei marwolaeth, fodd bynnag, cryfhau wnaeth galwad y tir.

Treuliais dair blynedd arall yn yr Ysgol Uwchradd. Ond ar wahân i ufuddhau i dri neu bedwar o'r athrawon, creu terfysg fyddwn a threulio llawer iawn o amser yn stafell y Prifathro. Roedd y wers olaf ar bnawn Gwener yn un anodd tu hwnt am ddau reswm. Yn un peth, roeddwn yn barod i fynd am y bws. Yn ail, gwers fiwsig oedd hi. Roedd yn gas gen i fiwsig a byddai Ted Morgan yr athro a nifer ohonom ni fechgyn ffermydd mewn rhyfel cartre cyson. Cofiaf un tro sefyll ecsam miwsig gan eistedd y tu ôl i Mari, yr un Mari a fu'n ddigon dwl, druan, i ddod yn wraig i mi yn ddiweddarach. Roedd Mari'n gamster ar fiwsig a medrwn weld ei phapur yn glir. Ac fel pob Cardi da dyma fanteisio ar y sefyllfa. Pan gyhoeddwyd y marciau ymhen rhyw bythefnos galwyd fi allan o flaen y dosbarth fel y disgybl oedd wedi gwneud y cynnydd mwyaf gan ennill 75 o farciau allan o gant. Siom o'r mwyaf i Ted Morgan y tymor canlynol oedd darganfod fy mod i 'nôl ar y gwaelod gyda phum marc allan o gant! Ar Mari oedd y bai am newid sedd a mynd i eistedd i'r tu blaen!

Cyn fy mod i'n sylweddoli hynny, bron, rown i'n disgyn o fws Wil Lloyd am y tro olaf fel disgybl a'r hen dei, y trowser llwyd, y cap a'r bag yn diflannu am byth i grombil amser.

Y Flwyddyn Amaethyddol

Cyn sôn am unrhyw gyfraniad ar fy rhan ar ôl dod adre i ffermio, efallai y dylwn sôn am y gweithgareddau o fis i fis gydol y flwyddyn ar y ffarm, yn enwedig yn y blynyddoedd cynnar. O edrych yn ôl, credaf i mi fod yn lwcus i gael fy ngeni mewn ardal hen-ffasiwn, ardal lle bu Nhad yr olaf un i brynu tractor a gwneud i ffwrdd â'r ceffylau gwedd. Yn sicr, gwelais ddiwedd cyfnod arbennig yn y byd amaethyddol, cyfnod sy'n gwneud i mi feddwl heddiw i mi gael fy ngeni'n gynharach na'r dyddiad sydd ar y dystysgrif geni yn y drôr.

O ddilyn calendr y flwyddyn, dydd cynta Ionawr oedd y pwysicaf o ddigon. Byddwn yn codi – neu'n cael fy nghodi – am hanner awr wedi deuddeg gydag Alf a'i feic yn barod i fynd â fi i hel calennig. Byddwn yn cael fy siarsio gan nifer o wragedd oedrannus i fod y cyntaf wrth eu drws i ddymuno Blwyddyn Newydd Dda iddynt. Cychwyn yn Nolgoed, yna Dolteifi a lawr at Droedrhiwdolau ac ar draws yr afon i Ddolebolion. Yna i fyny'r cwm i Gaemadog a chyrraedd i gael brecwast ym Mhenddolfawr.

Cawn bunt ym mhob lle ar y telerau mai fi fyddai yno gyntaf. Wedi brecwast, dringo dros Ros Bronberllan ac i Dynfron at Mam-gu. Yno hefyd byddai Ewyrth Sianco ac Anti Mat a chawn bres gan bob un. Cyn mynd i'w boced byddai Ewyrth Sianco yn gwneud i fi adrodd darn o farddoniaeth gan sefyll yn solet ar ganol llawr y gegin. 'Gad y bachgen yn llonydd a rho bres iddo fe,' fyddai cerydd Mam-gu bob tro. Ie, diwrnod caled ond proffidiol dros ben fyddai diwrnod cynta'r flwyddyn.

Gartre ar y fferm yn Ionawr byddai torri coed parhaus. Coed i'r lle tân i'r gegin fawr, i'r parlwr ac, yn waeth fyth, i'r Tŷ Pair. Rhaid fyddai llanw'r popty â choed o leiaf unwaith yr wythnos. Wrth i'r lludw eirias gael ei dynnu allan, ymddangosai Mam a'r forwyn gyda phymtheg tun mawr o fara a dwy gacen i'w crasu. Yna, o dan y fantell fawr roedd crochan y moch yn berwi'n gyson yn llawn tatw a sborion o'r tŷ. Wedi i'r crochan ferwi, ei droi ar y craen mawr, allan i ganol y llawr, lle câi blawd ei gymysgu gyda'r hylif berwedig.

Er mwyn cadw digon o goed tân rhaid cofio mai'r fwyell a'r drawslif oedd yr arfau at y gwaith. Byddai'r dynion byth a hefyd, yn enwedig yn ystod Ionawr, yn hel coed. Rhaid fyddai llusgo rhai o'r afonydd wedi'r llifogydd, clirio eraill oedd wedi eu llorio gan y gwynt. Ac wrth gwrs, deuai ambell gangen braff o'r berth wrth blygu. Doedd dim sôn bryd hynny am *pig netting* ac felly byddem yn plygu a llenwi perthi â drain duon er mwyn cadw'r defaid rhag dianc i erddi'r pentre. Serch hynny, dianc wnâi rhai gan orfodi Alf neu Jac i'w cyrchu 'nôl. Anaml y byddai Nhad yn eu cyrchu, ac un bore Sadwrn deuthum i ddeall pam. Roedd Alf a finne yn Teifi Street lle gwelsom yn sydyn ddau hwrdd mewn gardd yn ymosod ar y bresych a dyma fi i mewn ar eu hôl gan dderbyn llond pot o hylif – na ddaeth allan o'r un tap – dros fy mhen! Bûm yn fwy gofalus ar ôl hynny gan adael i Alf ddanfon y ci i mewn i'w hadfer. A dysgais edrych i fyny i ffenestri llofftydd yn llawer mwy manwl na chynt.

Diwrnod pwysig arall yn Ionawr oedd dydd lladd mochyn. Byddai tri mochyn y flwyddyn yn cael eu lladd y dyddiau hynny – y cyntaf fis Hydref, yr ail yn Ionawr a'r olaf yn Chwefror. Deuai Ewyrth John Morgan, Gilfach-y-dwn Fawr, draw erbyn amser cinio ac yna'n syth at ladd y mochyn. Pan oeddwn yn yr ysgol, llwyddais i ddianc bob tro rywfodd i fod yn llygad-dyst i'r achlysur. Câi'r mochyn ei arwain i mewn i'r Tŷ Pair, rhaff rhwng ei ddannedd ac ynghlwm am ei safn uchaf. Alf fyddai'n dal y rhaff bob amser, tra byddai Nhad wrth y gynffon i'w gadw'n syth a John Morgan ar ei bengliniau o flaen y mochyn. Wedi'r lladd, byddai'r creadur, druan, yn gorwedd ar fainc lydan gyda dŵr berwedig yn cael ei dywallt drosto er mwyn cael gwaredu'r blew i gyd. I ni'r plant doedd ond un rhan o'r anifail yn bwysig, sef y bledren. Wedi cael hyd iddi, byddem yn arllwys y biswel allan yn lân a chyda phwmp beic, ei llenwi ag awyr a chlymu'r gwddw'n dynn. Bron yn ddieithriad byddai'r bledren wedi'i chicio i ebargofiant ymhell cyn diwedd y gêm gyntaf.

Yn dilyn lladd mochyn byddai wythnos hyfryd o fwyta cig ffres gyda darnau sbarib yn cael eu rhannu i gymdogion a pherthnasau. Byddai Tomi'r Postman yn galw ar ei daith bob amser wedi'r lladd ac yn ymuno â ni i ginio. Ein swyddogaeth ni'r plant ar ôl ysgol fyddai torri'r halen yn barod at halltu'r mochyn. Byddai Mam yn prynu'r halen fesul carreg yr adeg honno a byddai ganddi declyn pwrpasol i ni at y gwaith o falu'r garreg.

Ychydig flynyddoedd yn ddiweddarach cychwynnodd

Wncwl John Morgan rowlio pob darn ystlys o'r mochyn. Gorchwyl reit galed oedd hwn a bûm yn mynd o amgylch i'w helpu. O rowlio'r cig roedd y coch a'r gwyn yn cymysgu'n well a'r cyfan yn llawer mwy blasus i'w fwyta. Ar wahân i'r darnau mawr o gig ar gyfer halltu, byddai Mam yn gwneud brôn, yn berwi'r traed a hyd yn oed yn stwffio bochau'r mochyn. Credai rhai amaethwyr mai mis cynta'r flwyddyn oedd yr ysgafnaf gan nad oedd llawer o waith i'w wneud ar y tir. Ac eto, yn ogystal â thorri coed a lladd mochyn byddai'n rhaid tshaffio, pwlpio, malu a phorthi'r anifeiliaid yn gyson drwy'r amser.

Ar ddyddiau sych, ac yn enwedig adeg rhew, rhaid fyddai symud dom allan gan ddefnyddio dwy gart at y gwaith. Byddai angen crampio'r dom yn rhydd gan mor galed fyddai'r gwartheg wedi ei wasgu yn y cytiau, ac yna llanw'r gart drwy ddefnyddio picwarch. Pum crugyn fyddai ar bob llwyth a châi'r dom ei dynnu lawr gan y cramp, a saith llathen rhwng pob gorffwysfa, i'w sgwaru'n ddiweddarach â'r bicwarch. Hen jobyn ddiflas oedd hon, yn enwedig i rywun ar ei ben ei hun. Llawer i dro yn Ionawr, ac afon Teifi wedi rhewi, byddai'r dynion yn achub ar y cyfle i gario dom dros yr afon i Gae Pwllbwban gyda'r rhew yn cynnal pwysau'r ceffylau a'r certi. Go brin fod rhew tebyg ar afonydd heddiw.

Gyda dyfodiad Chwefror roedd y prysurdeb i'w weld gyda'r ceffylau gwedd yn dod i'r golwg a'r aredig yn dechrau o ddifri. Byddai Nhad yn cadw chwech o geffylau gwedd i mewn dros y gaeaf ynghyd â dwy goben Gymreig. Weithiau byddai dau ebol hefyd yn y lŵs bocs. Roedd hi'n bwysig manteisio ar bob diwrnod sych gan fod pedwar cae mawr o leiaf i'w haredig. Tri chae o ŷd, un o geirch, un o farlys a'r llall yn cael ei haneru, gyda cheirch du bach un pen iddo a siprys yn yr hanner arall. Byddai'r cae arall ar gyfer tatw, swêds a mangyls.

Rhaid oedd aredig y gwndwn i gyd gydag aradr ungwys, ond byddai Nhad yn defnyddio'r ddwygwys yn y soflydd yn aml. Tua diwedd yr wythnos gyntaf yn y mis byddai dyrnwr mawr y Cownti yn cyrraedd gyda Rhys Waun Wen a Dan Bronant yn gofalu amdano. Yr arferiad oedd i'r ddau gyrraedd tua chanol y pnawn gan osod y dyrnwr yn ei le a gwneud unrhyw waith cynnal a chadw oedd yn angenrheidiol. Byddent wedyn yn cael bwyd cyn ei chychwyn hi am adre ar gefn bob i fotor-beic *Bantam*. Roedd llun o'r ceiliog bantam ar y tanc petrol a byddwn byth a hefyd yn poeni Rhys am gael mynd ar ei gefn. 'Ar ei gefen, myn diawl,' oedd yr ateb bob tro, 'eith hwn â ti dros ben y tŷ cyn i ti allu poeri!'

Drannoeth codwn yn fore gan mai fy swyddogaeth i a Dai Cornwal fyddai cylchynu'r helm â weiren netin ffowls i gadw'r llygod ffyrnig rhag dianc gan roi cyfle i'r cŵn eu dal. Byddai Dai yn dod â'i derier bach i'w ganlyn bob tro ond châi e byth fynd y tu mewn i'r weier ganddo er ei fod, yn ôl ei berchennog, yn llygotwr at flaen ei gynffon. Cofiaf hen gath lliw marmalêd gan Mam â chanddi gathod bach pan ddaeth Dai heibio un prynhawn a'r ci i'w ddilyn. Welodd y ci mo'r gath nes oedd honno wedi plannu ei hewinedd yn ei gefn. A rhwng yr ofn a'r boen diflannodd y terier gan ddarganfod cyflymder sydd, fel arfer, yn nodwedd ar filgi. Erbyn diwedd y diwrnod dyrnu byddai'r gwellt yn

das fawr yn y sgubor at tshaffio, tomen o us wedi'i chario
i'r gwartheg stôr a'r had i gyd yn ddiogel ar lofft y cartws.

Wrth gwrs, roedd y trydydd mochyn i'w ladd hefyd,
a'r cyfle olaf tan yr hydref am bledren arall i gael hwyl
gyda hi. Yn syth wedi lladd hwnnw, byddai gweddill y
gorchudd dros y tatw yn cael ei glirio gyda Sal, gwraig
Dai Cornwal, a Freina o'r pentre yn dod am ddiwrnod
cyfan i ddidoli'r tatw. Tatw had mewn bagiau pwrpasol,
tatw bwyta a gwerthu mewn congl arbennig yn yr hen
weithdy a'r gweddill yn cael eu cludo gan Jac Sais mewn
whilber i'r gwartheg. Cyrs Pinc a King Edward oedd
tatw Nhad ond bod Dai Cornwal yn llwyddo i'w dwyllo
i blannu rhes o hadyd newydd bron bob blwyddyn.

Tua'r drydedd wythnos o'r mis byddai'r gwartheg yn
dechrau lloia a Cochen fach canol y beudy fyddai'r gynta
bob amser. Golygai hyn bod corddi yn ailddechrau a
chynddrwg bob tamaid i mi fyddai'r separêto fore a nos.
Bron yn ddieithriad cyn diwedd y mis byddai'r ŵyn bach
yn cychwyn cael eu geni, a mawr fyddai'r chwilio er
canfod oen cynta'r tymor. Arferiad pawb yn yr ardal cyn
1947 oedd wyna o ddifri ddechrau Mawrth. Ond wedi'r
colledion mawr yn yr eira a'r rhew newidiwyd y drefn
gan fynd fis yn ddiweddarach.

Byddai'r cyntaf o Fawrth i ni'r plant bron mor bwysig
â'r cyntaf o Ionawr gyda phawb yn gwneud eu gorau glas
i gael Cennin Pedr i'w gwisgo yn eu cotiau. Diwrnod
diflas iawn gâi unrhyw un oedd wedi methu gan orfod
dioddef dirmyg y lleill am weddill y dydd. Rhwng wyna,
cadw'r gwaith ar y tir i fynd a phorthi, ychydig iawn o
amser oedd gan y dynion i wneud dim i helpu Mam. Y
canlyniad oedd fy mod i'n gorfod gwneud mwy a mwy.

Thomas Arch, fy hen daid, tua 1850. Yr Arch cyntaf i ddod i Gymru! Cipar ar stad Nanteos ger Aberystwyth.

Mam-gu a Dad-cu Arch o flaen y bwa, Yncl Jac yn faban, Anti Mari a Nhad.

Teulu Mam (Tynfron, Ffair Rhos): Mam-gu a Dad-cu gyda Mam yn y canol rhyngddynt.

*Fi ym mreichiau Nhad wrth
ymyl Mam y tu allan i'r
Fynachlog Fawr.*

*Fi (tua dwyflwydd a hanner)
a'm chwaer, Beti.*

*Wedi dechrau'r ysgol yn
deirblwydd a hanner.*

Y pump ohonom yn mynd i hela cnau – Dai, Beti, Eluned,
Glenys a finne.

Yr hen gartre, y Fynachlog Fawr – sydd mor hen â'r fynachlog ei hun,
yn ôl y sôn.

Disgyblion Ysgol Gynradd Ystrad Fflur, 1940. Miss Davies, athrawes y babanod, sydd ar y dde a Miss Rees, y brifathrawes, ar y chwith. Fi yw'r olaf ar y dde yn y rhes ganol.

Yn ystod fy wythnos gyntaf yn Ysgol Sir Tregaron, 1947.

Nhad a Mam o flaen yr aelwyd fawr yn y Fynachlog Fawr pan gynhaliwyd noson lawen yno ym 1961.

'Myfi yw y bugail da!' Dai, fy mrawd, a finne ar ucheldir Tywi.

Tîm buddugol Cystadleuaeth Siarad Cyhoeddus Sir Aberteifi, 1954–55. Cefn: fi a Moc Rogers. Blaen: Terrence Williams, a ddaeth yn frawd-yng-nghyfraith i mi, James Aelwyn Morgan a Dafydd Lloyd Jones.

Tîm Siarad Cyhoeddus buddugol Ystrad Fflur, 1956. Lyn Ebenezer (cefn); Dai Lloyd Evans, Arweinydd Cyngor Ceredigion erbyn hyn, fi a Dai fy mrawd (blaen). Roedd gen i a Lyn wallt bryd hynny!

Rali Ffermwyr Ifanc yn Nhregaron yn y 1960au. Yn actio Bois y Bwrdd Dŵr *mae Iori Bach, Ifor a Moc Wernfelen a Twm Glangorsfach, Ffair Rhos.*

1957 oedd blwyddyn fawr Clwb Ffermwyr Ifanc Ystrad Fflur, wrth i ni ennill cystadlaethau Siarad Cyhoeddus a Drama'r Sir ac Eisteddfod yr Urdd. Yn y rhes flaen ar y dde mae Mari Osborne Jones, a ddaeth yn wraig i mi.

Tableau'r Clwb Ffermwyr Ifanc ar thema Dafydd ap Gwilym yn Aberystwyth ym 1958. Islwyn Benjamin, Twm Glangorsfach, John Bronceiro, fi a Moc Wernfelen.

*Tîm Tregaron – enillwyr cyntaf y Cwis Llyfrau Cymraeg ym 1960 (a
ddarlledwyd ar y radio). Mari'r wraig sy'n drydydd o'r chwith yn y rhes
ganol, a finne ar y dde ar ddiwedd yr un rhes. Yn y llun hefyd mae ein
tiwtor, Miss Cassie Davies; Alun Edwards, Llyfrgellydd Sir Aberteifi; y
Cyfarwyddwr Addysg, J. Henry Jones a'r dramodydd, J. R. Evans.*

*Tîm Ystrad Fflur, enillwyr cystadleuaeth Siarad Cyhoeddus, 1957–58.
Moc Morgan (cefn), fi, Mari a Dai Meredith.*

Aelodau Clwb Ffermwyr Ifanc Ystrad Fflur yn y gystadleuaeth ddrama yng Ngŵyl Fawr Aberteifi, 1962 ac enillwyr cenedlaethol yr Urdd – a finne'n cynhyrchu. Wil Metcalfe, Lyn Ebenezer, Huw Ocven, Dai Lloyd Evans, Greta Lloyd ac Islwyn Benjamin.

Mari a finne ar ddydd ein priodas ym 1960.

Fy nhad a Billy Boy y tu allan i'r hen dŷ.

Cerdyn Billy Boy, y march a fu gyda Nhad am ddwy flynedd, ac a adawodd lawer o geffylau enwog i'w ddilyn.

SEASON 1937.

THE WELSH COB STALLION

BILLY BOY

Sire—LORENTO. *Dam*—BLACK CHESS by FLYING EXPRESS.

G-Dam—CHESS by ABERNANT EXPRESS.

will stand at

Great Abbey Farm,

Pontrhydfendigaid, Aberystwyth,

From May 17th to July 17th, 1937.

THIS FAMOUS TROTTING HORSE. the property of MR. T. R. ECKLEY, Court Llacca, Brecon, is bred from the best of trotting blood, and has proved himself by winning over 500 prizes, including several silver cups. He is undoubtedly the fastest Trotting Cob in Wales.

BILLY BOY is a sure Stock-getter, and has sired foals which have won at the leading shows.

Service fee, £1 10/-; Groom fee, 2/6.

Further particulars from MR. ARCH, Abbey Farm, or the OWNER.

F. H. JONES, Printer, The Struet, BRECON.

*Ffair Gŵyl Grog a gynhelid yn flynyddol ar 25 Medi
yn Mhontrhydfendigaid.*

*Rhod ddŵr y Fynachlog Fawr lle bûm yn eistedd uwch ei phen
yn cadw'r llif i ddisgyn.*

*Fy nhad gyda'r ceffyl bach
oedd gymaint o ffefryn ganddo.*

*Torri mawn ar y
mynydd.*

*Y ffordd hamddenol o dorri
gwair – injan un gaseg!*

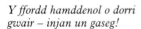

Porth gorllewinol Abaty Ystrad Fflur lle buom yn dringo'n aml yn blant.

*Yr hen abaty cyn yr Ail Ryfel Byd, ar adeg pan oedd nifer o weithwyr
yn clirio yno.*

Diwrnod dipio yn y Tywi Fechan, Awst 1958. Y bugeiliaid Tom, Ned a George wrth eu gwaith.

Dwy o ferched y Bont yng nghwmni'r hen grwydryn, Dafydd Gwallt Hir.

Sioe Meirch Llambed. Dim ond wedi colli un sioe ers y cychwyn cyntaf!

Mynd â'r ddiadell yn ôl i'r mynydd noson diwrnod cneifio, haf 1991. Islwyn Benjamin, Dai fy mrawd a finne.

Bob nos Wener ar ôl te byddwn yn cario menyn ac wyau gyda Mam draw i siop Dic Rees, ac yna ei helpu i gario nwyddau yn ôl adre. Y trefniant gan bron bob ffermwr yn yr ardal oedd prynu blawd i'r anifeiliaid, y nwyddau bron i gyd a dillad, gan dalu unwaith y flwyddyn tua diwedd mis Hydref. Yn y cyfamser, byddai'r wyau a'r menyn a werthwyd i'r siopwr yn help i leihau'r gost.

Jobyn arall a ddisgynnai i'm rhan fyddai mynd ar y beic i stesion Strata lle byddai dau neu dri bocs ar y tro o gywion bach ceiliogod a thwrcïod diwrnod oed wedi cyrraedd ar y trên. Bob tro erbyn dychwelyd byddai ambell un wedi marw a gwaith caled fyddai cadw'r gweddill yn fyw dros y dyddiau cyntaf. Hen bethe anodd eu magu oedd twrcïod, yn dal rhyw glefyd neu'i gilydd byth a hefyd. Byddwn yn gorfod dal y twrcïod yn aml i Mam tra byddai hithau â rhyw fegin fach ryfedd i chwythu powdwr gwyn i fyny eu ffroenau rhag iddynt gael y gêp. Roedd cymaint o bowdwr yn mynd i fyny i'm ffroenau i ag y byddai'r twrcïod yn ei dderbyn. Dyna pam, hwyrach, na wnes i erioed ddioddef o'r gêp!

Cyrhaeddai moch bach cyntaf y tymor hefyd yn ystod y mis, a phe byddai hwch yn paratoi tuag at y nos, fi fyddai â lamp yn y twlc yn gwylio rhag iddi orwedd ar fochyn bach ar ôl ei eni. Byddwn yno weithiau am ddwy neu dair awr tra byddai godro a phorthi'r anifeiliaid yn digwydd. Hen hwch gas oedd Sadl-bac, yn agor ei cheg o hyd i ddangos rhes o ddannedd fel rhai crocodeil. Roedd gofyn i fi wneud yr holl waith hyn yn ogystal â bwydo'r ŵyn swci. Dim rhyfedd fod mis Mawrth yn fis prysur!

Ar ddiwedd y mis byddai'n rhaid hau'r ceirch a'r tatw, a chyfle eto i gael ambell awr bant o'r ysgol. Ar fore hau ceirch byddai Mam yn estyn cynfas wen i Nhad, gan ei helpu i'w phlygu'n ofalus i ffurfio cawell i'w hongian wrth ei wddf ac wedyn ei chlymu'r tu cefn iddo. Ar ben pob talar byddai Alf wedi gosod bagied o had yn barod, a finne â bwced yn cario iddo fel y byddai'r angen. Câi'r had ei luchio i lygad y cwysi ac yna byddai Alf yn llyfnu ar ein hôl. O wneud hynny, byddai'r blagur yn ymddangos yn rhesi gwyrddion, ac yn rheswm arall, yn ôl Nhad, pam roedd hi'n ofynnol i aredig yn unionsyth neu'n gywir.

Diwrnod hau tatw eto cyn diwedd y mis a'r cae yn llawn o bobol gyda'r menywod yn hau, y dynion yn sgwaru'r tail a Nhad gyda mowlder yn cau'r rhychau. Roedd yr holl help ar gael am fod saith neu wyth teulu o'r pentre yn cael yr hawl i blannu rhes o datw'r un at fwyta dros y gaeaf. Pob un â'i rif a'i farc arbennig ar ei res, ac yn aml iawn enw arbennig yr had hefyd ar y pren marcio. Mynnai Dai Cornwal roi ei farc i lawr ar y ddau ben gan fod ei datw e'n sbeshial, a gwae unrhyw un fyddai'n ceisio dwyn had oddi arno. Pe byddai ganddo hanner dwsin o datw dros ben, y fi gâi y rheiny gydag ordors i'w plannu'n ddigon pell oddi wrth resi'r lleill.

Mis arall fyddai'n cychwyn yn dda i ni blant oedd mis Ebrill, a phawb am y gorau yn ceisio gwneud ffŵl Ebrill o'r llall. Rwy'n cofio mynd at Alf unwaith gan ffugio crio a dweud fod mochyn bach wedi mygu drwy wthio'i ben dan ddrws y cwt. Ac Alf, druan, wrth weld fy nagrau, yn rhedeg at y cwt a chael ei ddal! Actio yng ngwersi Miss Rees, mae'n debyg, yn dechrau dwyn ffrwyth. A sôn am foch, roedd yn gas gen i garthu'r cytiau – swyddogaeth bore Sadwrn bob amser. Er i mi ymolchi trosodd a throsodd, byddwn yn dal i ddrewi er pob ymdrech gan Mam i dywallt pob math o sothach yn y dŵr. Drwy lwc, erbyn diwedd Ebrill byddai'r gwaethaf drosodd a'r mwyafrif o'r moch bach wedi'u gwerthu. Yn aml byddai Nhad yn mynd â nhw yn y gart gyda rhwyd drosti rhag ofn iddynt ddianc. Ychydig iawn o dai a thyddynnod oedd heb fochyn bryd hynny.

Gan fod Sadwrn ola'r mis yn ddiwrnod pwysig, sef diwrnod marcio clustiau'r ŵyn, rhaid oedd clirio'r tail i gyd o'r adeiladau a chael gwared â'r domen o'r ffald. Golygai hyn fod y tir swêds a'r mangls i gyd wedi ei baratoi i dderbyn y tail a'r gweddill yn mynd i ryw gornel ar gyfer y rêp yn ddiweddarach yn y flwyddyn. Dyletswydd arall oedd hau'r haidd, y siprys a'r ceirch du bach. Ambell dro, a'r tywydd yn ddrwg, gwelwyd gadael yr haidd tan ddechrau Mai.

Cadwai Nhad darw Soseieti, tarw Byrgorn bob amser, ac yn unol â rheolau'r cynllun byddai hawl gan dyddynwyr yr ardal i ddod â'u buchod ato. Y canlyniad oedd y byddai rhywun yn galw draw yn ddyddiol yn ystod hanner olaf Ebrill a dechrau Mai. Un diwrnod pan ddaeth Nhad ac Alf 'nôl â'r ceffylau i'r stabal, safai Twm Gargoed ar ben y domen a'r tarw, drwy lwc, wedi mynd yn glwm yn y tail wrth geisio mynd ar ei ôl. Am unwaith roedd Twm yn reit dawel, nid yn gymaint am iddo ollwng y tarw allan heb ganiatâd, ond am iddo gael dihangfa ffodus. Fu fawr o olwg gan y tarw ar Twm byth wedyn, na gan Twm ar y tarw chwaith.

Treuliai'r dynion lawer o amser yn cynaeafu mawn ym mis Mai gydag un lle yn helpu'r llall. Rhaid oedd torri mawn yn y pwll, lluchio'r tyweirch allan ac yna eu gosod ar eu talcenni i sychu. Câi'r mawn ei symud droeon cyn byddai'n ddigon sych i'w gario. Roedd ein pwll mawn ni bron chwe milltir i fyny'r mynydd, a golygai hynny bod rhaid defnyddio tair neu bedair cart amser cario os oedden ni i lenwi'r sièd fawn at y gaeaf. Hefyd, ddechrau Mai, byddem yn cychwyn symud y defaid a'r ŵyn yn ôl i'r mynydd, a hynny fesul lot o tua chant a hanner ar y tro er mwyn rhoi cyfle i'r mamogiaid dynnu eu hŵyn. Yn anffodus, ar yr adeg yma, gallent ddod yn ôl hanner y ffordd heb yr un ffens i'w hatal nes cyrraedd at lidiart Pencarnau. A phe byddai'r tywydd yn ddrwg, byddai'r gymysgfa fwyaf o ddefaid ac ŵyn yno bob bore.

Roedd yn arferiad hefyd i gymryd defaid ac ŵyn o'r wlad i fyny ar y mynydd dros yr haf, a'r perchnogion yn talu rhyw gymaint y pen. Byddai'r rhain i fyny o fis Mai tan ganol mis Hydref bob blwyddyn. Câi'r rhan fwyaf o'r diadelloedd hyn eu darn cynefin eu hunain ar ôl rhai blynyddoedd o fugeilio cyson gyda'r canlyniad y gellid eu hel adeg cneifio heb orfod hel y mynydd i gyd. Er enghraifft, roedd defaid Tyndolau, Bronant, yn pori bob amser ar gnapiau'r Olchfa a defaid Dolfawr ar Lethr Gwared Bach ac yn reit hawdd eu hel. Gofynnodd Daniel James Dolfor i Nhad unwaith am ganiatâd i ddanfon defaid i fyny dros yr haf, ond gan nad oedd ganddo fugail ar y pryd, roedd yn amharod i dderbyn diadell ychwanegol, yn enwedig un y byddai angen dysgu ei chynefin iddi. Ond bodlonodd yn y diwedd i werthu defaid pedair oed i Daniel James yn yr hydref a'u cymryd yn ôl ar y mynydd y gwanwyn canlynol. Fu hyn fawr o lwyddiant gan fod y defaid ar draws y cynefin i gyd ac yn amhosib eu hel heb ddod â defaid y mynydd i gyd at ei gilydd.

Wedi clirio'r defaid i'r mynydd byddai'r caeau gwair yn cael eu cadw, a rhaid unwaith eto fyddai gosod rhagor o ddrain ym môn y perthi i atal y gwartheg rhag torri i mewn i'r gwair ac i'r ŷd. Dyma'r adeg hefyd pan fyddai Alf a finne'n cario'r dril hadau bach i lawr o lofft y storws. Wedi i ni ei glanhau yn drwyadl ac iro'r olwynion ag olew, byddai Nhad yn cyrchu Fflowyr y gaseg las i hau'r swêds a'r mangls gan ofyn i fi arwain y gaseg fel y medrai ef gadw'r peiriant yn hollol wastad ar ben y rhych. Byddai'n dipyn o ffeit rhwng Nhad a fi am y bagiau hadau swêds a mangls – y fi eu heisiau i gario'r fferet, a Nhad i ddal tywod at hogi'r bladur. Un hen jobyn arall reit ddiflas oedd hel y lampau at ei gilydd, eu glanhau a'u cael yn barod at y gaeaf nesaf. A fi fyddai'n gorfod ymgymryd â'r dasg honno bob tro. Edrychwn ymlaen, serch hynny, at fis Mai a'r adeg pan fyddai llif yn afon Glasffrwd a'r dŵr yn llwyd. Cawn wedyn fynd i bysgota – heb leisens – gyda John Jenkins. 'Os na ddaliwn ni ddim,' medde John, 'd'yn ni ddim yn tlodi neb. Ond os ddaliwn ni rai, fe fydd e'n fonws.' A dal fydden ni bron bob tro.

Sŵn pedolau ar y ffordd fyddai'n canlyn dyfodiad Mehefin gyda dyn y march yn cyrraedd. Nid yn unig y ceid cwmpeini a storïau perchennog y march ond byddai nifer o gymdogion yn dod â'u cesig i'w gyfarfod. Byddai meirch cobiau yn dod yn eu tro a cheffylau gwedd. Bron bob tro, dadl fawr Jac Huws wrth fy nhad fyddai, 'Beth gythrel wyt ti eisie defnyddio rhyw glambar mawr o geffyl gwedd pan fedr y cobyn wneud yr un gwaith i ti?' Rhyw hanner cytuno a wnâi Nhad ond gan gadw ymlaen i ddefnyddio'r ceffylau, gyda'r tatw i'w cadw'n lân drwy sgyfflio a phriddo, y swêds a'r mangls i'w sgyfflio wedyn a'r tir rêp i'w baratoi. Wedi sgyfflio'r swêds a'r mangls byddai rhaid gwisgo sachau am y coesau a mynd lawr ar ein pengliniau i chwynnu a singlo. Cofiaf Dai Cornwal yn codi ar ei draed un noson ar ôl diwrnod o singlo ac yn dweud wrth Nhad, 'Wyddost ti, Twm, rwy wedi bod fwy ar fy mhengliniau na'r un pregethwr Methodist yng Nghymru.'

Wrth gwrs, doedd hyn yn ddim wrth y paratoi oedd yn digwydd cyn y cneifio. Glanhau a chymoni'r tai allan i gyd, eu gwyngalchu, trwsio gatie, torri dail poethion. A gwae Nhad pe na byddai'r Tŷ Pair yn barod at bobi a hongian y gwedder tew ar ôl ei ladd! Gwae ni'r plant hefyd pe baem yn gwneud cawlach yn y tŷ, yn enwedig wedi'r holl waith papuro a pheintio.

I fi, roedd y penwythnos fyddai'n dilyn ein cneifio ni yn hyfryd, yn enwedig y Sadwrn a'r Sul. Yn syth wedi cneifio Dolgoch, ddydd Gwener byddai Nhad bant ar gefn y ferlen lwyd neu'r goben ddu i fyny i'r coed lle'r oedd tua dwsin o ferlod yn pori, i'w nôl i gyd i lawr i'r ffald. Yna, didoli rhyw dair merlen oedd tua'r pedair oed a'u cornelu yn y stabal gan roi coler am ben pob un a'u clymu un ymhob stâl. Gan na fyddai'r un ohonynt wedi bod dan do erioed o'r blaen, byddai tynnu mawr a chicio. Wedi iddynt lonyddu ychydig, y cam nesaf fyddai gosod bit arbennig yn eu cegau yn barod at gymryd ffrwyn. Erbyn canol pnawn dydd Sadwrn caent eu harwain allan bob yn un a'r dynion wedyn yn eu marchogaeth. Pwrpas y cyfan oedd cael tair merlen ychwanegol i gario dros dymor y cneifio. Erbyn diwedd y tymor byddent yn ddigon tawel i gario plant ac yn edrych yn fain a blinedig.

Gan fod rhaid cneifio bob dydd yn ystod yr wythnos, yr unig gyfle gâi Nhad i weld y defaid ar y mynydd oedd bore dydd Sul. Cawn inne, gan nad oedd ysgol, fynd gydag ef yn gwmni ar gefn merlyn gan ddechrau dysgu'r llwybrau oedd yn ddiogel i ddyn a cheffyl dros y mawndir. Yn arferol, wedi cyrraedd y mynydd, byddem yn dilyn llwybr i fyny gyda ffens Graig Wen at Lyn Gorast, y terfyn rhyngom a Garreg Lwyd. Ymlaen wedyn ar hyd Esgair Warnen a chroesi i'r gornel bellaf lle'r oedd llwybr yn ymestyn allan i Foel Uchaf ac i fferm Moel Prysgau ac yna troi'n ôl a dilyn Llethr Gwaered i lawr at y ffordd oedd yn arwain i Dywi Fechan.

Fyddai Nhad byth yn troi'n ôl heb fynd â chopi o'r *Welsh Gazette* i Ifan Davies yn Nhywi Fechan. Dyn mawr cyhyrog ymhell dros chwe throedfedd o uchder ac yn llydan fel drws sgubor oedd Ifan. Yn ôl yr hanes nid oedd wedi bod yn sâl erioed nac wedi gweld doctor yn ei fywyd. Syndod, felly, ar un Sul arbennig ddechrau Gorffennaf, oedd mynd at y tŷ a chael ar ddeall gan ei wraig, Marged Ann, ei fod yn ei wely. Roedd y syndod yn fwy o wybod iddo fod allan yn cneifio yn ystod yr wythnos. Gwahoddwyd Nhad a finne i'r llofft i'w weld, ac anghofia i fyth weld ei law chwith wedi chwyddo i fyny fel pêl rygbi fawr ac yn goch-biws ei lliw. Roedd yn amlwg ei fod mewn poen aruthrol ond er holl ddadleuon Nhad, chawn i ddim mynd i Dregaron i nôl y doctor. Ond yn y diwedd cytunodd Ifan y cawn fynd at y doctor ar ei ran fore dydd Llun cyn mynd i'r ysgol, ac felly y bu.

Pan gyrhaeddodd y doctor fore dydd Llun, mae'n

debyg iddo ddeall ar unwaith fod Ifan yn dioddef o anthracs, ac y byddai unrhyw ddyn cyffredin eisoes wedi marw. A marw a wnaeth Ifan ddeuddydd yn ddiweddarach. Bu ei wraig yn sâl o'r un clefyd ond drwy lwc a bendith achubwyd ei bywyd. O wneud archwiliad ymysg yr anifeiliaid canfuwyd mai ci defaid oedd yn cario'r feirws er bod y ci ei hun yn holliach. Wnaeth neb ofyn i Nhad a finne os oeddem yn teimlo'n iawn er i ni fod yn y tŷ ac i fyny'r llofft. Heddiw, mae'n debyg y byddem wedi ein cadw mewn ward arbennig nes byddai'r doctor yn hapus nad oeddem yn cario'r haint.

Yn ystod yr wythnos ganlynol byddwn yn mynd i fyny i Dywi Fechan ar ôl ysgol i odro'r buchod – rhyw dair ohonynt – a bwydo'r lloi. A dyna lle'r oeddwn un cyfnos yn godro yn y beudy isel bum milltir i ffwrdd o'r fferm agosaf pan ymddangosodd Ifan ei hun yn y drws. Disgynnodd y bwced i'r llawr a saethodd pob blewyn gwalltog ar fy mhen i fyny fel nodwyddau. Doedd neb erioed wedi dweud wrtha i fod gan Ifan frawd, sef William, a hwnnw o ran pryd a gwedd yn debyg iawn iddo. Yn nhywyllwch y beudy edrychai'n union yr un fath ag Ifan. Gobeithio na chaf fyth eto gymaint o fraw. Does dim rhyfedd nad oes llawer o wallt ar fy mhen erbyn heddiw. Edrychais ar garreg fedd Ifan yn ddiweddarach a chanfod iddo farw ar Orffennaf 12, 1949, ac yntau'n 63 mlwydd oed.

Os mai sŵn pedolau fyddai'n cyhoeddi fod Mehefin wedi cyrraedd, sŵn gwelleifiau oedd uchaf yng Ngorffennaf. Godro ben bore ac yna i ffwrdd i gneifio, gyda Mam hefyd yn mynd yn aml ar gefn merlen i helpu'r gwragedd gyda'r bwyd a chael ambell glonc rhwng prydau. Wrth ddod at wythnos ola'r cneifio ddiwedd y mis byddai'n rhaid torri'r gwair hadau, a fyddai erbyn hyn yn donnau yn taro yn erbyn ei gilydd. Trwy fod Nhad yn gosod hadau gwair i lawr bob blwyddyn o dan yr haidd, byddai'n cael cae o wair ffres bob tro, a hwnnw'n dew o feillion coch. A'r cnwd yn drwm, byddai'n clymu yn ei gilydd ac anodd iawn fyddai ei drin a'i gynaeafu. Pe digwyddai'r tywydd ddangos arwyddion glaw, byddem yn codi mydylau a chaem help gan nifer o bobl y pentre, yn enwedig Dafydd Huws a Huw Jones. Roedd gan y ddau dyddynnod bach, ac adeg y gwair byddent yn cael benthyg ceffyl a gambo gan Nhad i gario eu cynhaeaf i mewn.

Edrych ymlaen at y trip Ysgol Sul ar Sadwrn ola'r mis bydden ni'r plant. Porthcawl, Llandudno a mannau tebyg fyddai ein cyrchfan, ac am nad oedd cyfle i deithio'n aml, byddai nifer ohonom yn sâl, gyda'r bws yn gorfod stopio'n aml ac ambell un mor welw ag ysbryd. Deuai Jane Defis gyda ni bob tro gan ennill y ddadl â'r ficer i aros am tships ar y ffordd adre. Wedi bwyta llond bol o bysgod a sglodion, Jane fyddai'r gyntaf i fynd yn sâl ar ôl ailgychwyn, a bob tro yn rhoi'r bai ar y siop tships am fethu â choginio'r pysgodyn yn iawn.

Ychydig o wahaniaeth fyddai rhwng Gorffennaf ac Awst gan y byddai'r naill fis yn gorffen a'r llall yn cychwyn gyda'r cynhaeaf gwair. Gan amlaf, erbyn canol y mis, byddem wedi gorffen yn y caeau gwair ac wedi symud i'r gweundir. Ar haf sych byddai Nhad yn medru torri darnau helaeth, bryd arall rhaid fyddai gadael y darnau mawndir i'r gwartheg eu pori. Yn syth wedi gorffen â'r gwair byddai Mam a Mam-gu Tynfron yn mynd i ffwrdd i Lanwrtyd am dridiau i brofi dyfroedd y ffynhonnau ac i ymweld â dwy neu dair cyfnither yn yr ardal. Deuai'r ddwy yn ôl gyda bagied o boteli i'w canlyn gan sipian rhyw ddiferyn yn awr ac yn y man. Cofiaf Glenys a finne'n agor potel ac yn yfed hanner cwpanaid yr un ac yna'i daflu'n syth drwy'r drws. Ych! Blasai, mi dybiwn, fel biswail buwch!

Edrychwn ymlaen yn fawr am drip arall i'r mynydd pryd y byddem yn dipio a dod â'r ŵyn gwryw i lawr adre. Awn i fyny yn y gart gydag Alf a Mam gan y byddem yn dipio yn Nhywi Fechan ac yn paratoi'r bwyd i'r dynion yn y tŷ. Daeth Defis y Plismon i fyny un tro gan wneud i'r dynion ddal y defaid yn y dip am funud yr un. Cafodd Ned, un o'n cymdogion, ddigon ar hyn a chychwynnodd luchio ambell hwrdd i mewn nes oedd y dip yn drochion dros Defis. Cyn hir trodd y plismon i ffwrdd ac ni welwyd mohono wedyn am weddill y dydd. Welais i'r un hwrdd yn cael ei luchio i'r dip wedyn.

Dyma'r adeg hefyd pan fyddai'r rhan fwyaf o'r mawn yn cael ei gario i lawr o'r mynydd a chyfle arall am drip yn y gart a chael dreifo ambell dro ar y slei. Byddwn hefyd yn gorfod gofalu am y bwyd a'r llaeth enwyn tra byddai'r dynion yn llwytho, rhag ofn i'r cŵn gael gafael arno, yn enwedig y brechdanau.

Bedyddwraig oedd Mam a châi neb ohonom osgoi mynd i'r Cyrddau Mawr tuag at ddiwedd y mis. Mynd i'r cwrdd yn y prynhawn, yna te yn y festri i bawb, ac yn ôl i'r capel at wasanaeth yr hwyr. Byddai cymaint yn dod i'r cwrdd nos fel y byddai'n rhaid cario'r holl feinciau o'r festri i mewn er mwyn cael lle i bawb eistedd. Am wythnosau wedyn byddai Mam yn sôn am Jubilee Young a hoelion wyth eraill y pulpud yn union fel y byddai John Defi'r Crydd yn sôn am Tommy Farr neu Joe Louis.

Ni fyddai'r mis drosodd i'r un ffermwr yn yr ardal heb fynd i sioe flynyddol y pentre. Ceffylau oedd pethe Nhad a byddai ein ceffylau gwedd, cobiau a merlod trotian bob amser yn cael eu paratoi ar gyfer yr achlysur. Byddai bore'r sioe fel lladd nadroedd gyda Jac, Alf a Nhad yn golchi, sgwrio a pharatoi. Yn ogystal â golchi'r ceffylau gwedd rhaid fyddai plethu rheffyn a blodau yn eu mwng a'u cynffon. Ordors wedyn i beidio â rhoi dŵr i'r ceffylau rasio, ac oglau liniment ym mhob man. Gan na chawn i fynd â cheffyl, fe aeth Charles Cornwal a fi un flwyddyn ati i olchi Wag y ci a'i arwain yr holl ffordd i'r sioe. Rhaid ei fod yn dipyn o gi gan i ni ennill y cerdyn coch a 'Da iawn, fy ngwas i' gan y beirniad. Y flwyddyn ganlynol cefais help Jac i fynd â buwch i'r dosbarth Byrgorn, ond roedd Brocen yn un ddigon anodd ei thrin a glaniodd Jac, y fuwch, a finne yn yr afon ar y ffordd adre. Cedwais at gŵn a cheffylau o hynny ymlaen gan gredu fel Jac Sais mai creadur i'w godro neu ei bwyta oedd buwch.

Ar Sadwrn ola'r mis caem ni'r plant drip i Aberystwyth lle byddai Mam yn ceisio cael hyd i ryw ddilledyn neu'i gilydd ar ein cyfer cyn i'r ysgol ailagor. Rhaid bod hwn yn drip pwysig gan y byddai Dic Jones yn dod i'n nôl ni yn ei dacsi a'n gadael ger y Red Leion lle byddem yn dal bws *Crosville*. Araf fyddai'r daith gyda'r bws yn codi rhywun ymhob pentre, ac erbyn i ni gyrraedd y Trawscoed, byddwn yn sâl fel ci. Eisteddwn bob amser yn agos i'r drws er mwyn dal cymaint o awyr iach ag oedd bosibl. Eto, byddai fy stumog i fyny tan goler fy nghrys. Erbyn cyrraedd top Penparcau byddai'n rhaid mynd allan a cherddwn weddill y ffordd gan gwrdd â Mam a'r lleill wrth y cloc mawr. Wn i ddim ble byddem yn cwrdd heddiw a'r hen gloc wedi diflannu a'i olynu gan gloc lawer yn llai. Erbyn cyrraedd y cloc byddwn yn holliach ac yn barod am ffish a tships heb ofidio dim y byddwn yn ymladd i'w cadw lawr unwaith eto ar y ffordd adre.

Pe na byddai'r tywydd wedi bod yn dda erbyn diwedd Awst, âi'r dynion ati'n syth ddechrau Medi gyda'u pladuriau i agor ystod fras o gwmpas y caeau ŷd yn barod at ddyfodiad y beinder. Dyna pryd fyddai Nhad yn defnyddio'r cydau bach oedd wedi eu cadw ers hau'r swêds a'r mangls fel ei fod yn medru rhoi min ar lafn y bladur. Ar goes y bladur, wedi ei ffitio ar ddwy hoelen, roedd y rhip, sef darn o bren pedair ochrog gyda dwrn iddo. Wedi iro'r pedair ochr yn dda â bloneg, rhaid fyddai agor un o'r cydau a fyddai'n llawn tywod wedi ei naddu o garreg feddal. Câi'r rhip ei redeg yn ôl a blaen ar hyd y tywod nes byddai trwch da o'r tywod wedi glynu yn y bloneg a orchuddiai'r pren. Y cam nesaf fyddai gosod y bladur ar ei ysgwydd gyda'r llafn yn ymestyn allan o'i flaen a dechrau rhedeg y rhip yn gyflym ar draws y min. Ymhen dim, byddai'r llafn yn finiog fel raser ac yn barod at waith. Wedi torri o gwmpas, rhaid fyddai rhwymo'r ŷd gan luchio'r sgubau i fol y clawdd nes byddai'r beinder wedi pasio dro neu ddau.

Gyda'r beinder yn cychwyn o ddifri, deuai dau neu dri o'r pentrefwyr i fyny i helpu gyda'r stacio ac i geisio dal y cwningod fyddai'n ceisio dianc o ffordd y peiriant. Yn aml iawn byddai un o gynfasau'r beinder yn rhwygo a chawn fy nanfon yn syth, ysgol neu beidio, i redeg lawr at John Defi'r Crydd i nôl edau lin. Erbyn i fi gyrraedd yn ôl byddai'r gynfas wedi ei thynnu i ffwrdd a Nhad â nodwydd fawr yn barod i atgyweirio'r rhwyg. Gyda lwc, yn enwedig pe byddai'r tywydd yn dda, gallai'r ŷd fod yn ei staciau nes diwrnod ei gario. Ond gyda thywydd ansefydlog, rhaid fyddai hel y staciau at ei gilydd a gwneud sopyn, sef math ar helem fechan. Fyddai neb yn yr ardal yn meddwl am gynaeafu'r ŷd, yn enwedig y cae at had, heb iddo fod allan i glywed cloch y llan deirgwaith. I fachgen â'i lygad ar fynd i ffermio doedd dim yn well na chael dau neu dri diwrnod o'r ysgol i lwytho gambo yn y cae ac ambell drip adre ar ben y llwyth yng ngolwg plant eraill.

Yn dilyn yr ŷd, rhaid fyddai cael y defaid gwerthu oddi ar y mynydd, ynghyd â'r ŵyn benyw. Defaid pedair oed oedd y rhain â'u dannedd yn llawn a chaent eu prynu i fagu ŵyn ar y gwastadeddau am ddwy neu dair blynedd yn ychwanegol. Wedi eu didoli, eid ati i drimio pob un â gwellaif ac yna curo pridd melyn i mewn i'r gwlân i roi lliw arnynt cyn eu troi i'r soflydd i aros sêl. Yna, un trip arall i'r mynydd i nôl mawn ola'r tymor cyn ei chychwyn hi am Gors Caron cyn dechrau toi'r helmi yn yr ydlan. Gyda deuddeg helem byddai angen llawer o frwyn a byddai'r gambo'n brysur bob prynhawn yn cario adre'r hyn oedd wedi ei dorri â phladur y diwrnod cynt.

Byddai popeth yn dod i stop yn yr ardal ar y pumed ar hugain o'r mis gyda dyfodiad Ffair Gŵyl Grog, neu Ffair y Rhosydd yn ôl rhai gwybodusion. Ceid ffair geffylau yn y bore lle byddai ffermwyr mor bell i ffwrdd â Chwm Elan yn dod â merlod i'w gwerthu. Yr arferiad oedd gwerthu wrth law, a'r porthmyn yn cerdded o gwmpas gan ofyn am weld ceffyl yn rhedeg ar hyd y ffordd cyn taro bargen. Ar ddiwedd yr holl brynu a gwerthu byddai stondinau yn cynnig pob math o adloniant. Erbyn saith yr hwyr byddai bron yn amhosib cerdded i fyny Terrace Road gymaint fyddai'r dorf.

Diweddai'r mis bob amser gyda'r bustych yn cael eu troi i mewn i'r adlodd yn barod at farchnadoedd diwedd y flwyddyn. Yn wahanol iawn i heddiw, Byrgorn fyddent bron i gyd ar wahân i ambell groes Henffordd.

Wedi gorffen toi'r helmi byddid yn talu sylw ddechrau hydref i hel rhedyn. Fyddai'r un ffermwr yn defnyddio gwellt o dan y creaduriaid yr adeg honno. Rhaid oedd defnyddio'r gwellt i gyd fel porthiant. Gallaf gofio Alf a finne wrthi'n brysur yn torri rhedyn ar lechwedd reit serth uwchlaw'r ffordd, i fyny yng Nghwm Glasffrwd. Wedi bod yn torri â phladur yn ddiwyd o'r bore tan ganol y pnawn dyma ddechrau rowlio'r rhedyn i lawr y llethr. Aeth pethe'n dda nes yn sydyn i ni ganfod y gaseg rhedyn yn dechrau rowlio ohoni ei hun gan ennill cyflymdra a disgyn i ganol y ffordd, a hynny fel roedd tacsi Dic Jones yn cario plant y cwm adre o'r ysgol. Bu hanner awr galed a phrysur cyn i ni glirio'r llwybr i'r car fynd heibio. Chwarae teg i Dic, fe ddaeth allan o'r tacsi i helpu, ond gofalodd y plant yn y car fod pawb yn y cwm yn gwybod am ein helbul.

Erbyn hyn byddai'r mochyn cyntaf i'w ladd wrthi'n pesgi yn y cwt a Dai Cornwal yn dechrau edrych arno wrth basio heibio ar sgowt. I ni'r plant roedd mis Hydref yn golygu un peth – gwyliau ysgol ar gyfer hel tatw. Yn debyg iawn i gneifio, byddai pawb, bron, yn yr ardal yn cyfnewid gan symud o un fferm i'r llall i hel y tatw. Bron yn ddieithriad byddai pentrefwyr wedi hel eu rhesi tatw cyn y diwrnod mawr, ar wahân i Dai Cornwal. Roedd Dai am i bawb weld ei datw sbeshial ac i gyfrif sawl sachaid a gâi mewn rhes. Yn debyg i gneifio heddiw gyda pheiriant, byddai cefn rhywun yn brifo ar y dechrau ac yna yn gwella erbyn diwedd y cynhaeaf. Llenwid y certi â thatw a'u dadlwytho adeg bwyd. Câi cynfas ei dal y tu ôl i'r gert gydag un dyn bob pen yn cario'r tatw i mewn fesul llwyth nes byddai'r gert yn wag. Cofiaf weld cert Wernfelen yn dod allan drwy laid dwfn o gae Gilfach-y-dwn Fawr a chi Joe Bryneithinog yn mynd dan yr olwyn. 'Rwyt ti wedi lladd y ci,' gwaeddodd Joe, gan redeg draw. Trwy lwc, roedd y ci wedi'i wasgu i'r llaid ac o'i dynnu allan doedd y creadur fawr gwaeth. Galwyd y ci hwnnw yn Gi'r Atgyfodiad am flynyddoedd wedyn, er na hoffai Joe glywed sôn am hynny.

Gyda'r mis yn dirwyn i ben, byddai Nhad bob amser yn mynd â bustych i farchnad Tregaron. Yn y dyddiau cynnar, cofiaf y gwartheg yn cael eu cerdded wyth milltir i Dregaron, ac unwaith hefyd cofiaf eu gweld yn cael eu cerdded 'nôl am na chafwyd pris derbyniol amdanynt.

Gyda dyfodiad Tachwedd, rhaid fyddai cynaeafu'r swêds a'r mangls cyn dyfodiad y rhew. Câi'r cnydau hyn eu cario i'r ydlan a'u claddu dan bridd a thyweirch. Rheswm arall dros hel y rhain yn gynnar oedd eu diddosi cyn i'r gweision gael eu gwyliau. Byddai'r flwyddyn gyflogi yn gorffen ar y trydydd ar ddeg o'r mis, sef 'Calan Gaeaf' cyflogi Sir Aberteifi, pan ddeuai cyfle i'r gweision a'r morynion newid lle neu gael eu hailgyflogi. Golygai hyn y byddai'r gweision ar eu gwyliau ar yr un pryd, ac oherwydd hynny byddwn yn gorfod godro a helpu gyda'r porthi. Roedd yn arferiad yn y byd amaethyddol fod gwas a oedd wedi gwasanaethu'n sefydlog ar yr un fferm am saith mlynedd yn derbyn heffer flwydd yn anrheg, a morwyn a oedd wedi gwasanaethu am yr un cyfnod yn cael carthen wlân. Bu Alf gyda ni am ddwy flynedd ar hugain a chafodd dair heffer yn ystod y cyfnod hwnnw. Weithiau byddai'n gwerthu'r heffer yn ôl i Nhad. Deuai'r gweision yn ôl at ddiwedd y mis a'r gwaith cyntaf wedyn fyddai naddu polion yn barod at blygu'r perthi.

Rhwng cyfnod Calan Gaeaf a'r gweision yn dychwelyd o'u gwyliau ceid ffeiriau, gyda thair yn Aberystwyth a dwy yn Nhregaron. Gan amlaf, caem drip i'r ail ffair yn Aberystwyth fel teulu yn nhacsi Dic Jones. Dyma'r unig adeg y byddai Nhad yn prynu Wdbeins gan fod Mam yn mynnu fod y bibell a'r *Ringer's Best* yn ein mygu yn y car. Y *Wall of Death* fyddai'r prif atyniad i ni'r bechgyn a rhaid oedd ei gweld bob tro. Ceisiodd Dic John a finne efelychu'r gamp ar ôl y ffair un tro gan fynd â bob i feic i fyny i dop y gwair gan feddwl codi digon o gyflymder i gadw i fyny ar hyd ochr yr helem. Methiant llwyr fu'r ymdrech a bûm yn gloff am ddyddiau gydag yfflon o friw ar fy nghoes.

Erbyn Rhagfyr, y Nadolig fyddai ar ein meddyliau ni'r plant. Eto, o edrych yn ôl, afal, oren, cnau ac un bar o siocled fyddai yn yr hosan bob tro – ar wahân i un achlysur. Ar ddiwedd y Rhyfel daeth Syr David James, a oedd â'i gartref rhyw filltir o'r ysgol, i lawr o Lunden cyn y Nadolig. Daeth i mewn un prynhawn gyda Ned Olfyr, ei yrrwr, yn ei ddilyn yn cario sach ar ôl sach o focsys. Galwyd ar bawb ohonon ni ymlaen i dderbyn bocs, a llygaid Miss Rees yn rhybuddio pawb i ddweud 'Diolch' wrth Syr David. Wedi i fi agor y bocs gwelais fy mod wedi derbyn yr injan stêm harddaf erioed, ac mae hi gen i hyd heddiw.

Porthi gwartheg a cheffylau, plygu perthi a chario coed tân fyddai'r prif weithgareddau ar y fferm nes cyrraedd at yr wythnos cyn y Nadolig. Unwaith eto, fel yn hanes y cynhaeaf tatw, byddai sawl fferm yn helpu ei gilydd i bluo, a llawer o'r gwaith yn cael ei wneud gyda'r nos. Câi tân mawr ei gynnau yn y Tŷ Pair a phedwar neu bump o'i gwmpas yn pluo am y gorau. Fel y câi pob aderyn ei bluo byddai Nhad yn rhedeg y corff drwy'r fflamau ac yn ei gario i'r tŷ. Yno, ar fyrddau cerrig y bwtri byddai'r forwyn a Mam yn agor y ffowls a'u paratoi ar gyfer y cwsmer. Byddwn inne wedyn, dan gyfarwyddyd Mam, yn ysgrifennu ar gardiau a'u clymu wrth goes pob aderyn i nodi lle'r oedd i fynd at y Nadolig, ynghyd â nodi'r pwysau. Drannoeth, Nhad fyddai â'r gwaith hollbwysig o fynd â'r cyfan yn y trap i'r gwahanol gwsmeriaid. Y drefn yn ein tŷ ni bob amser fyddai gŵydd Ddydd Nadolig, twrci drannoeth a gŵydd eto ar Ddydd Calan. Gŵydd Ddydd Calan oedd y gyntaf i mi ei phluo erioed.

Caem ein codi i gyd fore Dydd Nadolig bron cyn i ni fynd i gysgu gan y byddai gwasanaeth Plygain yn yr eglwys am chwech o'r gloch y bore. Golygfa fendigedig oedd gweld golau lampau'n dynesu o bob fferm yn yr ardal tua'r Eglwys beth bynnag fyddai'r tywydd. Go brin y gall neb ddychmygu unrhyw beth tebyg yn digwydd eto.

Dechrau Ffermio

Rhyw flwyddyn cyn i fi adael yr ysgol, prynodd Nhad dractor. Roedd pawb arall wedi gwneud eisoes. Fforden Fach neu *Standard Fordson* oedd y peiriant, ac yn ôl Nhad, yr yfwr mwyaf a welodd erioed. Yn wir, nid dim ond un tractor brynodd e ond tri. Ond stori arall yw honno, fel yr egluraf yn y bennod 'Cymeriadau'.

Tebyg na fyddai wedi ei brynu oni bai bod Alf wedi mynd i weithio i'r Comisiwn Coedwigaeth adeg Calan Gaeaf a Jac wedi gadael o'i flaen i weithio ar fferm gyfagos – gweld, mae'n debyg, fy mod i ar fin dod adre a brawd arall yn yr ysgol ac yn dod i oedran gwaith.

Erbyn y tymor aredig roedd Nhad wedi prynu aradr deircwys i fynd y tu ôl i'r tractor a phwy ddigwyddodd ddod atom am wythnos o wyliau ond Anti Meri Ann, chwaer Nhad, a'i gŵr, Wncwl Tom. Roedd Wncwl Tom yn medru gyrru car ac yn ddefnyddiol i ddysgu Nhad i drafod y tractor a'i alluogi i fynd ati i aredig. Felly, un bore sych, dyma'r ddau i ffwrdd lawr y ffordd gydag Wncwl Tom yn gyrru a Nhad yn sefyll wrth ei ochr. Roedd y tractor yn lô gêr oherwydd bod yr aradr y tu ôl.

Aredig y sofl ar ddôl Teifi oedd y bwriad – dim problem yn ôl geiriau olaf Wncwl Tom wrth Nhad wrth iddyn nhw adael y tŷ. Rywbryd yn ddiweddarach yn ystod y bore dyma Dai Cornwal yn galw heibio am baned, yn ôl ei arfer. Cwestiwn cyntaf Mam oedd, 'Welsoch chi'r ddau ddyn yn aredig, Dai?'

'Aredig, myn yffarn i,' oedd yr ateb. 'Welsoch chi ddwy gledren trên yn cwrdd erioed? Gorau po gynta aiff gŵr Meri Ann am dro a Twm i gymryd ei le ar y tractor.'

Ac felly y bu, gyda Nhad yn datgysylltu'r aradr ac yn gwneud i Wncwl ei ddysgu i ddreifio 'nôl ac ymlaen ar hyd y cae. Chwarae teg iddo, erbyn canol y prynhawn roedd wedi cael gafael ar bethau, y bibell wedi ei hailgynnau a'r cwysi'n edrych yn dda o ben talar. Yn rhyfedd iawn, daeth Nhad a'r Fforden fach yn ffrindiau mawr, gymaint felly fel i benderfyniad gael ei wneud y byddwn i'n cymryd gofal am y gwartheg a'r defaid ac yntau'n gwneud y rhan fwyaf o'r gwaith ar y tir.

Cas bethau Nhad oedd gwartheg, ac yn enwedig godro – hyd yn oed ar ôl i ni gael peiriant ar gyfer y gwaith. Yr adeg honno rhaid fyddai mynd â'r llaeth i lawr i'r pentre i gwrdd â'r lorri – y penderfyniad wedi ei wneud fel pawb arall yn yr ardal i werthu'r cynnyrch i'r Bwrdd Marchnata Llaeth. Tra byddwn i'n godro byddai Nhad yn gosod yr harnais ar y goben ddu a'i chysylltu â'r trap a dod at ddrws y tŷ cŵlyr. Roedd y goben ddu, perthynas i'r enwog Billy Boy, bob amser ar dân eisiau mynd ac yn cystadlu mewn rasys trotian yn yr haf dan gyfrwy. Un bore, ar ôl llwytho'r tshyrns llaeth, dyma Nhad yn gofyn i fi fynd i gwt y twrcwn, dal y twrci gwyn, ei roi mewn sach a dod â'r creadur at gefn y trap i'w gludo i Mr Hiscocks, tafarnwr y Blac Leion. Roedd Mr Hiscocks, mae'n debyg, wedi dweud wrth Mam y byddai'n well iddi fagu ei thwrcwn ei hun na'u prynu, a bod twrcwn gwyn yn well ar gyfer y farchnad na'r hen fridiau tywyll.

Beth bynnag, dyma Nhad yn cychwyn am y pentre ond ar y bore arbennig yma, pwy ddaeth allan o'r ysgol fach rownd y gornel ond Marged Olfyr. Roedd Marged wedi dod i fyny o'r pentre i wneud yn siŵr bod popeth yn barod yn yr ysgol a chynnau'r tân erbyn dyfodiad y plant. Mae'n debyg i Nhad gynnig ei chario 'nôl i'r pentre yn y trap ac iddi hithau dderbyn y gwahoddiad gan eistedd ar y sedd wrth ei ochr. Fe aeth popeth yn iawn nes iddyn nhw groesi'r bont dros afon Glasffrwd. Yn sydyn dyma sŵn rhyfedd o'r cefn ac, yn ddirybudd, gwelwyd y twrci wedi dod allan o'r sach, a chyda'i adenydd yn fflapian fel rhyw hofrennydd pluog dyma fe i ffwrdd dros y goben ddu a disgyn dros y clawdd ar Ddôl Dolgoed. Bu hyn, wrth gwrs, yn ormod i ferch Billy Boy ac i ffwrdd â hi ar garlam am y pentre gyda Nhad yn ceisio'i orau i'w chadw ar y ffordd heb iddi fynd dros y clawdd a chwalu popeth yn yfflon. Yn ôl John Defi'r Crydd, fe groesodd y goben y sgwâr yn union fel petai haid o *Cherokees* ar ei hôl ac i fyny lôn Cefn Gaer cyn i Nhad lwyddo i'w ffrwyno. Tasgodd sawl tshyrn laeth allan o'r trap ac roedd Marged, druan, wedi disgyn yn ôl ar ei chefn i'r cerbyd a'i choesau i fyny yn yr awyr gan ddangos pâr o flwmers mawr pinc i bawb ar y stryd. Ni fu Marged yn y trap byth wedyn, ac yn fuan ar ôl hynny fe addawodd y Bwrdd Marchnata Llaeth y buasent yn cyrchu'r llaeth o'r fferm, dim ond i ni godi stand laeth bwrpasol a chyfleus i'r lorri.

Rhaid cyfaddef, os anodd a chaled yw gwaith fferm ar brydiau, hawdd iawn oedd i fab fferm gamu o ddosbarth ysgol i ganol y ffald a dechrau ffermio o ddifri. Er bod y gwaith ar yr adeg honno yn llawer mwy corfforol na heddiw, roeddwn wrth fy modd. Byddwn yn gorfod carthu pob cwt llo a siedau gwartheg gyda phicwarch a thorri'r gwair yn y sièd wair â chyllell fawr â thro yn ei dwrn a'i gario ar fy mhen i'r bing o flaen y gwartheg. Mae gen i graith wen hyd heddiw ar draws fy mawd i brofi pa mor finiog y gallai'r gyllell fod.

Un bore Sadwrn, a finne ar ben y gwair yn rhoi min ar y gyllell, dyma fws mawr yn stopio ar y ffordd, yn amlwg wedi dod ag ymwelwyr i'r hen Abaty. A finne'n dal i hogi'r gyllell fe ddaeth criw o ferched prydferth allan o'r bws, un ar ôl y llall. Fel ffŵl, cedwais ymlaen i hogi wrth syllu ar y merched yr un pryd nes yn sydyn daeth y bawd i gyffyrddiad â llafn y gyllell. Bu'n rhaid rhoi'r gorau i dorri'r gwair ac i wylio'r merched a mynd i'r tŷ am driniaeth, ond gan ofalu peidio â chyfaddef sut ddigwyddodd yr anffawd.

Ac wrth sôn am wair, mae'n debyg mai'r teclyn newydd cyntaf i ymddangos ar y ffald oedd y llwythwr gwair – llai o ddwylo ar gael at y cynhaeaf bellach a chodi'r gwair rhydd i'r trêlyr yn jobyn caled. Cofiaf gychwyn ar y cae hadau a'r clofyr coch yn un o'r cnydau trymaf erioed. Dyma Nhad i ben y tractor, tanio'i bibell a finne ar y trêlyr. A ffwrdd â ni. Rhwng bod Nhad yn gyrru'n rhy gyflym a'r cnwd mor drwm roeddwn i'n cael fy nghladdu o dan donnau o wair. Bu bron iawn i fi fygu cyn iddo glywed y bloeddio, finne'n gweld dim ond ton ar ôl ton o wair a rhibin cyson o fwg *Ringer's Best* yn codi i'r awyr.

Doedd pethau fawr gwell yn y tŷ gwair lle'r oedd Wncwl Wil wedi gosod bachau oedd yn rhedeg ar reilen gref yn union o dan y to. Diolch i'r rhain gallai un person ar ben y llwyth fachu'r gwair ac yna cael y gaseg las i dynnu'r bachiad o ben y llwyth i fyny at dop y sièd lle byddai'r gwair wedyn yn llithro ar draws i gael ei ollwng ar ben yr helm, neu'r golau. Mam fyddai'n arwain y gaseg, Nhad ar ben y llwyth a finne ar yr helm. Roedd hi bron yn amhosib cadw trefn ar yr helm gyda Nhad yn codi llwyth trêlyr ar dri bachiad tra fyddai Mam a finne'n ei ddwrdio. Roedd y llwythwr gwair yn un o'r peiriannau hynny gafodd oes fer ar ffermydd Cymru, a diolch i'r nefoedd am hynny.

O'r tymhorau i gyd, fy ffefryn oedd y gwanwyn er y byddwn yn cerdded ymron ddeng milltir ar hugain y dydd. Doedd neb wedi breuddwydio bryd hynny y byddai bugeiliaid y dyfodol yn mynd o amgylch eu praidd ar gefn motor-beic, na chwaith y câi defaid eu cadw mewn sièd at wyna. Gofynnais unwaith i Ned, cymydog a bugail gwerth chweil, beth oedd gofynion bugail da, a chael yr ateb di-flewyn-ar-dafod,

'Rhaid i ti hoffi cwmpeini dy hunan, bod yn gerddwr da â llygaid craff, a chi â rhywbeth heblaw asgwrn rhwng ei ddau glust.'

Synnwn i fawr, yn y bôn, mai'r un yw'r diffiniad heddiw o fugail gwerth ei gyflogi. Yn sicr, dysgais lawer am gadw cwmpeini i mi fy hun wrth eistedd ym môn clawdd neu yn y gwair o flaen y gwartheg wrth ddisgwyl i ddafad wyna neu fuwch i loia ym mherfeddion nos.

Edrychwn ymlaen hefyd at y tymor cneifio, a chan fy mod i wedi dechrau cneifio yn ddeuddeg oed, roeddwn yn weddol brofiadol erbyn gadael yr ysgol. Yr arferiad yr adeg honno oedd i'r defaid gael eu cneifio mewn un adeilad a'r ŵyn mewn adeilad arall ac fel arfer byddai pob ffermwr yn dewis cneifwyr ar gyfer cneifio'r ŵyn. Daeth fy awr fawr un dydd Mawrth yng nghneifio Grofftau pan ofynnodd Defi Morgan i fi gneifio ŵyn. Cerddais yn araf, araf i sièd yr ŵyn gan obeithio bod llygaid pawb arnaf.

Flwyddyn yn gynharach ar yr un fferm roeddwn wrthi'n cneifio defaid gyda Twm Langors-fach, y cneifiwr nesaf ata i. Heb unrhyw rybudd dyma ddafad ar draws y sièd yn cicio nes bod gwellaif yn saethu drwy'r awyr ac ymgladdu ym mraich Twm. Welais i erioed gymaint o waed yn tasgu i'r awyr, a thrwy lwc a bendith pwy oedd y tu allan ond Tom Evans, Wellington House, a oedd, yn ôl pob tebyg, wedi dilyn cwrs Cymorth Cyntaf. Rhwygodd Tom grys Twm a galwodd ar y dyn pitsho i ddod mewn â'r crochan pitsh. Yna, ar orchymyn Tom Evans, tynnais y gwellaif allan o fraich Twm ac yna slapiodd Tom y pitsh berwedig ar y clwyf gyda Twm, druan, yn gweiddi dros bob man. O fewn rhai wythnosau roedd y pitsh yn dechrau dod i ffwrdd o fraich Twm a'r clwyf wedi gwella'n braf.

Tymor hyfryd, serch hynny, oedd adeg cneifio pan fyddwn yn teithio ar gefn merlyn o un fferm i'r llall bob dydd. Byddai pob sièd gneifio yn byrlymu o hiwmor a thynnu coes, a llond bol o fwyd a digon o bwdin bob tro.

Cawn lawer o hwyl yn dofi merlod ifanc a'u defnyddio yn ystod y tymor, er y byddai ambell un yn reit anodd ei thrin, yn enwedig un ferlen felen a geisiodd fwy nag unwaith fynd â fi i ebargofiant. Cofiaf fynd adre o gneifio Bryneithinog un nos Sadwrn gan hel defaid dieithr yn ôl gyda fi ac ar yr un pryd geisio cadw trefn ar y ferlen felen. Fel yr awn allan o'r ffald clywn Joe Bryneithinog yn dweud wrth John Gwndwn Gwinau fod gen i ddigon i'w wneud i fynd â'r ferlen adre, heb sôn am hebrwng y

119

defaid hefyd. Beth bynnag, wedi brwydr galed fe gyrhaeddodd y ferlen, y defaid a finne adre'n ddiogel.

Ie, anodd oedd setlo lawr i weithio gartre, gan dreulio llawer o'r amser ar fy mhen fy hun ar ôl i'r tymor cneifio fynd heibio. Ond setlo oedd raid a bwrw ymlaen gyda'r cynhaeaf gwair. Roedd Nhad yn dal i gadw dwy gaseg wedd a nifer o gobiau a chriw o ferlod, a'r ddwy gaseg fyddai'n torri gwair ar y gweunydd gan hel a gwasgar y cynhaeaf i gyd. Gan y byddai angen pedoli, cawn daith yn reit aml i efail y gof at Ellis Edwards yn Ystrad Meurig. Roedd gan Ellis yr enw o fod yn of da, byth yn cloffi'r un ceffyl, ond weithiau'n fyr ei dymer. Ar wahân i bedoli, byddai'n cario'r post a chadw gwartheg byrgorn pedigri. Cofiaf hyd heddiw enw un ohonynt, Strata Olive Leaf the Third. A chan fod gwartheg byrgorn gyda ninne adre ar y fferm byddwn yn dangos cryn ddiddordeb.

Yn aml byddai dau neu dri yno eisoes yn yr efail ac wrth ymddangos yn y drws cawn bryd o dafod a gorchymyn i ddychwelyd drannoeth. Deuthum yn fuan iawn i ddeall y drefn drwy rwymo'r gaseg wrth ddrws y beudy'n dawel a mynd i weld y gwartheg neu'r lloi. Weithiau hefyd, oherwydd bod y gwaith mor drwm a chaled, awn â photel o Brown Êl fel y gallai Ellis gael ambell lwnc wrth ei waith. Ymhen rhyw ychydig deuai draw i'r beudy lle byddwn wrthi'n edmygu un o'i wartheg a chaem sgwrs am ei rhinweddau a chyfle hefyd iddo gael rhyw ddiferyn o'r êl. Chwarae teg iddo, cyn i fi adael byddai bob tro'n dweud, 'Paid â mynd; fe ffeindia i funud i bedoli i ti.' Fuasai Nhad byth yn breuddwydio gadael i neb arall gyffwrdd â thraed ei geffylau trotian, neb ond Ellis, a mawr fyddai ei ofal wrth bedoli'r goben ddu.

Cofiaf yn dda fod yn yr efail yn 1953 ar y diwrnod yr oedd y Frenhines Elizabeth yn ymweld ag Aberystwyth; hithau, mae'n debyg, yn mynd o amgylch y wlad i ddangos ei hun ar ôl cael ei choroni yn dilyn marwolaeth ei thad. Bu Mam erioed â rhyw gred fawr yn y Teulu Brenhinol a rhaid oedd mynd i gyd fel teulu – ar wahân i fi – i Aberystwyth i'w gweld. Fe gefais i, siŵr o fod, fy nghyflyru gan John Jenkins, a gredai'n gydwybodol mai 'blydi scafenjyrs' oedd pob wan jac ohonynt. Penderfynais, felly, fynd i'r efail. Beth bynnag, ar ôl gorffen, a'r tywydd yn boeth, dyma Ellis yn cydio yn y botel Brown Êl a chroesi'r ffordd i gae Henblas ac fe es i gydag ef am sgwrs. Dyna ble'r oeddem yn eistedd ar y borfa wrth ymyl y rheilffordd pan basiodd y Trên Brenhinol. A phwy oedd â'i hwyneb yn dynn wrth y ffenest ond y Frenhines. Mae'n siŵr iddi gael cryn syndod o weld dau o'i dinasyddion yn eistedd allan mewn cae yn yfed Brown Êl heb wneud fawr o sylw ohoni.

Pan ddaeth Mam adre o Aberystwyth roedd mewn tymer reit ddrwg ar ôl cerdded milltiroedd drwy'r dydd ond heb gael cymaint â chip o'r Frenhines oherwydd maint y dyrfa. Roedd y ffaith i Ellis a finne ei gweld heb unrhyw ymdrech yn halen ar y briw.

Gyda dim ond dwy gaseg wedd bellach roedd yn amlwg, a'r cynhaeaf ŷd wrth law, bod rhaid addasu'r beinder ar gyfer ei ddefnyddio gyda'r Fforden, ac felly y bu. Pan aeddfedodd yr ŷd dyma gychwyn arni gyda Nhad ar y tractor a finne ar y beinder. Yr unig broblem oedd, er bod y tractor yn gweithio'n dda ac yn torri llawer mwy nag y gwnâi'r ceffylau, roedd y sgubau i'w codi i gyd wedyn. Golygai hyn un ai stacio'r ŷd ben bore cyn aildorri neu yn hwyr y nos ar ôl gorffen. A gydag yfflon o ddarn mawr ar lawr, roedd yn hen jobyn digon diflas. Un dydd Mawrth, diwrnod cyn Ffair Gŵyl Grog, penderfynwyd dal ati i dorri drwy'r dydd gan obeithio y byddai'n bosibl cael help drannoeth i godi'r sgubau. Trannoeth roedd hi'n glawio'n drwm a dyma Nhad i ffwrdd â merlyn i'r ffair gan roi gorchymyn i fi ffeindio help i ddechrau codi'r ŷd. Trwy lwc, dyma Charles Cornwal yn dod i roi help a dyma fynd ati er gwaetha'r glaw. Wrth ddod 'nôl i'r cae ar ôl cinio fe wnes i ddwyn darn o *Ringer's Best* Nhad ac fe aed ati i rowlio ffag yr un, er nad oedd y naill na'r llall ohonom wedi smocio cyn hynny. Smociwyd dwy neu dair yr un wrth i ni godi'r ŷd yn y gobaith o orffen mewn pryd i fynd i'r ffair. Ond ychydig iawn o hwyl a gafwyd ar y ffair gan i'r ddau ohonom fynd yn sâl a thaflu i fyny. Taflwyd gweddill y *Ringer's* i afon Glasffrwd, a gwynt da ar ei ôl. Chollodd Nhad ddim dyrnaid o'i faco byth wedyn.

Bu'r haf hwnnw, sef 1953, yn eithriadol o wlyb a chafwyd y trafferthion rhyfeddaf i sychu'r ŷd. Bu'n rhaid mynd ati i godi sopynnau ymhob cae, a hyd yn oed wedyn bu'n rhaid agor pob sopyn cyn cael yr ŷd yn barod i'w gario. Cyn gwneud sopyn rhaid oedd cario'r sgubau a'u gosod yn gylch fel y byddai pob ysgub, wrth adeiladu, yn gyfleus i'w chodi a'i gosod yn ei lle. Byddai'n arferiad hefyd gwerthu ŷd wrth y sopyn ar ffermydd lle byddai arwerthiant yn yr hydref.

Fel y byddai'r hydref yn nesáu dechreuwn edrych

ymlaen at Ffeiriau Calan Gaeaf yn Nhregaron ac yn Aberystwyth, yn enwedig nawr ar ôl gadael yr ysgol gan y byddwn yn mynd gyda'r bois ifanc eraill o'r pentre ar fws Wil Lloyd. Mynd yn syth ar ôl godro tua hanner awr wedi chwech a'r bws yn troi'n ôl ar hanner nos. I ni'r bechgyn byddai llawer iawn o ddiddordeb yn y bocsio lle byddai perchennog y stondin, Ron Taylor, yn annog unrhyw un o'r gynulleidfa i gamu i fyny ac i ymladd am bum punt. Byddai gofyn para am dair rownd cyn ennill y pres, a byddai'r bum punt yn demtasiwn fawr.

Ar yr adeg honno byddwn yn treulio llawer o amser yng Nghaemadog yn helpu Dai Caemadog a Ianto i hel defaid, cyfnewid dyrnu ac yn y blaen. Diddordeb mawr Dai oedd bocsio ac fe ddechreuodd roi gwersi i fi yn y sgubor gan fy nharo i lawr yn aml a gweiddi, 'Dere 'nôl ar dy draed!' Wyddai Nhad ddim oll am y gwersi hyn. Byddwn yn dod allan yn aml yn waed i gyd ond yn benderfynol o ddal ati. Penderfynwyd – neu yn hytrach penderfynodd Dai – y byddwn i'n mynd i focsio yn Ffair Aberystwyth. Dadansoddiad Dai oedd y byddwn i'n cael dwy rownd weddol hawdd er mwyn bodloni'r gynulleidfa ac y byddai'r gwrthwynebydd yn mynd amdanaf yn y drydedd.

'Pan ddaw'r drydedd rownd,' medde Dai, 'sticia wrtho fe fel magned wrth hoelen, a phaid â gadael iddo fe gael lle i roi ergyd hyd braich i ti.'

Ac felly y bu. Euthum i fyny fel oen i'r lladdfa a chael, fel y proffwydodd Dai, ddwy rownd gymharol hawdd. A dyna gychwyn ar y drydedd. Allan â fi o 'nghornel fel gwenci a chydio'n dynn am fy ngwrthwynebydd a rywfodd neu'i gilydd, er derbyn sawl ergyd, roeddwn yn dal ar fy nhraed pan ganodd y gloch olaf. Roedd Dai wrth ei fodd, wrth gwrs, yn stwffio'r pres i 'mhoced ond wnes i fawr o chwerthin am bythefnos. Roedd pob asgwrn yn teimlo fel pe byddwn wedi bod drwy'r pwlper. Es i byth i fyny i'r sgwâr bocsio wedyn a chollais bob diddordeb yn y gamp.

O edrych yn ôl, mae'n debyg mai Dai Caemadog oedd un o'r dynion mwyaf ffit a welais erioed. Pan fyddem yn hel defaid medrai Dai ddod â defaid at ei gilydd drwy redeg 'nôl ac ymlaen a gweiddi arnynt tra byddwn i'n hel yr ochr arall gyda'r cŵn. Gwelais ef hefyd yn dal ceffyl gwyllt ar ras ac yn ei daro y tu ôl i'w glust nes ei fod ar lawr. Yna gorweddai Dai yno ar wddw'r ceffyl nes i fi gyrraedd a gosod coler am ben y creadur. Os ar frys i ddal y bws, medrai redeg o Gaemadog i'r pentre, pellter o tua dwy filltir a hanner, heb dorri chwys.

Edrychwn ymlaen at weld yr hydref yn dod a'r gwartheg godro yn cael eu cadw fewn dros nos – pob buwch yr adeg honno'n cael ei chlymu gerfydd ei gwddw fel ei bod hi'n llonydd ar gyfer ei godro. Golygai hyn bod yn rhaid carthu fore a nos gan wthio'r whilber i ben y domen, ac adeiladu honno i fyny ar ganol y ffald fel tas fawr. Byddwn yn tshaffio a phwlpio ar gyfer eu bwyd gan gario'r gymysgedd ar fy nghefn mewn sach. Ambell dro, yn ogystal â'r mangyls a'r swêds wedi eu pwlpio byddwn yn rhoi iddynt haidd wedi'i falu yn gymysg â thriog. Ar ôl trin y triog a'i gario ar fy nghefn byddai fy nghot, yn enwedig ei chefn, fel pe byddai wedi'i thario gan fois y cownti ac ni chawn fynd â hi ar gyfyl y tŷ adeg bwyd. Gadewais y got wrth ddrws y beudy unwaith ac wrth ddod â'r gwartheg yn ôl o'r dŵr, beth welwn yn llyfu'r got ei gorau glas oedd Gwenhwyfar, y fuwch froc.

Ar wahân i wartheg godro byddem hefyd yn cadw nifer o wartheg bîff, croesiad gan amlaf o darw Henffordd a buchod byrgorn. Er mwyn ceisio cael y prisiau gorau penderfynodd Nhad eu cadw allan tan y farchnad olaf ym mis Ionawr. Drwy eu cadw allan byddai'r gwartheg yn lanach ac wedi magu cotiau tew o flew hir a oedd yn gwneud iddynt edrych yn dda yn llygad y prynwr. Fi oedd â'r cyfrifoldeb o'u porthi gan gario sachaid ar ôl sachaid o tshaff, pwlp a blawd iddynt bob dydd. Ar dywydd gwlyb, anodd iawn fyddai cyrraedd at y manjer porthi gan ddyfnder y llaid, a'r gwartheg yn ceisio cyrraedd yno o'm blaen. Roedd hyn cyn dyddiau'r Welingtons gyda'r canlyniad fy mod, yng ngeiriau Dai Cornwal, yn 'bwdel a dom gwartheg fyny at fy ngheseiliau'.

Ar wahân i'r porthi byddwn hefyd yn danfon y gwartheg allan o'r cae gyda help Scot, yr ast dorgoch, i'r dŵr bob dydd. Cofiaf un tro ar ddechrau Ionawr, a'r ddaear wedi rhewi fel sment a'r mwd am unwaith yn hollol lonydd, ddanfon Scot i'r cae i nôl y gwartheg allan i'r dŵr. I ffwrdd â hi fel trên ond o fewn eiliadau dyma glywed y floedd fwyaf ofnadwy gan yr ast druan, a dim sôn am y gwartheg. O edrych, gwelwn Scot ar lawr ac ar ôl cyrraedd ati gwelwn iddi redeg yn syth i mewn i ddarn o bren onnen oedd yn sticio fel picell allan o'r mwd. Roedd yr ast, yn amlwg, wedi ei thrywanu gan y pren a oedd wedi rhewi'n solet yn y ddaear. Roedd y pren wedi mynd i mewn drwy groen ei bol ac allan drwy groen ei chefn. Meddyliais, wrth ei chario i'r sgubor, a'r pren yn dal yn ei chorff, fod ei bywyd ar ben. Ond o edrych yn fwy manwl sylweddolais fod y pren, yn hytrach na mynd drwy ei chorff, wedi taro asen gan ddilyn yr asgwrn o dan y croen ac allan. O ganfod hyn dyma dynnu'r pren allan ac o fewn wythnos roedd Scot yn ôl yn y cae fel arfer. Canfyddais ar ôl ymgeleddu'r ast fod y berth wedi ei thocio yn yr hydref gyda'r canlyniad i nifer o doriadau gael eu chwythu i'r cae ac i'r gwartheg, wrth gwrs, wrth gerdded o gwmpas, wasgu un pen o'r toriad hwn i'r ddaear a'r rhew wedi gwneud y gweddill. Sylwais fod nifer o doriadau tebyg yn sefyll i fyny fel picelli ar draws y cae.

Mae'n debyg, er bod y gwaith yn galed, mai'r newid cyson a'r amrywiaeth o dasgau oedd, er gwaetha'r problemau i gyd, yn gwneud ffermio mor ddiddorol – yn enwedig i'r ifanc. Edrychwn ymlaen bob amser at yr hydref gan fod llawer o waith didoli a thrafod y defaid. Wrth gyflawni gorchwylion bugail cawn y cyfle i gyfuno diddordeb mewn defaid, cŵn a merlod heb i neb, fel arfer, darfu ar y mwynhad. Roedd y mynyddoedd yn agored fel bod modd marchogaeth i Gwm Elan heb orfod agor yr un llidiart, a'r un fath i Lanwrtyd ac i'r de i gyfeiriad Rhandirmwyn. Ambell ddiwrnod byddwn yn gweld o bellter un o fechgyn Cerrig-cyplau yn trafod defaid. Dro arall deuai Dic i'r golwg ar Foel Moelprysgau a byddwn yn taro ar draws Ned wrth Lyn Gorast neu Tom Blaenglasffrwd ar Benbwlch ar y ffordd adre.

Roedd Tom yn un o wir feibion y mynydd gyda chof eithriadol. Wrth i ni eistedd weithiau ar y glaswellt tra oedd y merlod yn pori gerllaw byddai'n rhestru'r dyddiadau pan ymddangosodd blodyn y Penllwydyn un gwanwyn ar ôl y llall. Dro arall byddai'n edrych ar yr awyr ac yn darogan y tywydd am y dyddiau nesaf, a bron bob amser byddai'n iawn. Cymerai ddiddordeb mawr yn symudiadau'r defaid ar y mynydd gan fy sicrhau lle byddai'r gwynt yn chwythu dros y dyddiau nesaf. Ni fyddai byth yn hoffi niwl tew, yn enwedig i lawr at y nentydd yn y gaeaf, gan ddarogan y deuai trwch o eira cyn hir. Cymerai ofal mawr o'i esgidiau, yn enwedig yn y gaeaf, gan eu hiro â thrwch o saim gŵydd bob nos ar ôl eu diosg.

Mangre hyfryd oedd Penbwlch, lle byddwn yn cwrdd â Tom, yn enwedig yn yr haf gan ei fod ddeuddeg can troedfedd uwchlaw'r môr gan ein galluogi ar ddiwrnod clir i edrych allan dros Sir Aberteifi ac i lawr at fynyddoedd y Preselau. Yn ôl Dai Cornwal, na fyddai byth, bron, yn mynd i fyny yno, roedd e'n lle ar y diawl yn y gaeaf ac yn ddigon i rewi chwannen wrth fol buwch.

Hawdd hefyd oedd meithrin diddordeb mewn cŵn defaid wrth fod ar y mynydd a gwae unrhyw fugail fyddai'n colli defaid wrth eu hôl ar ran cymydog. Bu'r ci defaid a'r treialon cŵn yn fodd i wneud nifer mawr o ffrindiau dros y blynyddoedd, yn eu plith Dai Jones, Llanilar, gyda'r ddau ohonom wedi teithio llawer dros gyfnod hir i wylio cŵn a chael llawer o hwyl ar yr un pryd.

Byddai'r tynnu coes yn mynd ymlaen am wythnosau. Cŵn Cymreig oedd gen i, lliw glas a choch gan amlaf a'r rheiny'n llawn egni. Efallai na fyddwn wedi newid byth oni bai am ddiwrnod treialon y Bont. Dyma ofyn i fi symud y defaid 'nôl a blaen ar gyfer y cystadleuwyr. Y cewri mwyaf adnabyddus yn y cyfnod hwnnw oedd D. C.

Morgan, Trefenter; John Evans, Llanybydder; Dai Daniel, Ystradgynlais; John Evans, Magor, a John Jones, Trawsfynydd, gyda nifer o gystadleuwyr iau yn barod i gymryd eu lle. Beth bynnag, roeddwn yn dod 'nôl wedi symud defaid pan ddaeth y beirniad, Mr Jarman o Garno, cystadleuydd dygn arall, ataf a dweud y dylwn feddwl am brynu *Scots Collie*, ci defaid Albanaidd, er mwyn rhoi cynnig arno. Fe wrandewais arno, a dyna ddechrau ar y diddordeb mewn treialon. Ychydig a feddyliais y diwrnod hwnnw yr effaith fyddai ei eiriau yn ei gael arnaf ac y byddwn yn symud ymhen blynyddoedd i fyw i Sir Drefaldwyn gan ddod i adnabod ei deulu a gwerthfawrogi'n fawr eu cyfraniad i ddiwylliant Cymru.

Er cymaint y wefr o weld ci a meistr yn bartneriaeth berffaith ar faes sioe gŵn, rwy'n dal i feddwi ar allu ci wedi ei hyfforddi'n dda ar fynydd agored. Anodd yw curo bore gwyntog o hydref a'r defaid yn wyllt wrth garlamu o'r golwg ddim ond i gael eu troi'n ôl yn y pellter a'u dychwelyd at draed y bugail. Efallai hefyd bod y mawndir yn sugno i fyny drwy goesau rhywun ac i'w galon dros gyfnod o amser gan greu rhyw ddarlun gorliwgar a rhy ddelfrydol o'r cyfnod.

Ond gadewch i ni anghofio'r mynydd am funud a chyfaddef fod yna gyfleoedd hefyd i fachgen ifanc, ar ôl gadael yr ysgol, fwynhau ei hun fin nos. Diolch i'r Eglwys, ac yn arbennig i'r Ficer, John Aubrey, roedd rhyw weithgaredd yn y neuadd bron bob wythnos yn enwedig yn y gaeaf. Adeiladwyd Neuadd yr Eglwys o goed gyda llwyfan eang a dwy stafell bob ochr iddo ar gyfer yr artistiaid fyddai'n cymryd rhan. Drwy weledigaeth y Ficer a'i gysylltiadau byddai teulu James, teulu o actorion proffesiynol o Ganolbarth Lloegr, yn dod i'r neuadd bob hydref i berfformio tua deg o wahanol ddramâu o fewn cyfnod o bythefnos. Dramâu Saesneg oedd y rhain ac fe'u gwelwyd ar lwyfannau theatrau rhai o drefi mwyaf Prydain.

Peth newydd iawn i ni ar yr adeg honno oedd gweld setiau a gwisgoedd lliwgar a pherfformiadau proffesiynol bron bob nos o'r wythnos – llu o ddramâu o bob math. Un a gofiaf yn dda oedd *Murder in the Red Barn*, melodrama lle'r oedd un cymeriad yn cael ei ladd yn yr act gyntaf a'r llofrudd wedyn yn cael ei grogi fel diweddglo i'r cyfan. Roedd y perfformiad mor fyw a chredadwy, a hyn wrth gwrs cyn cyfnod y teledu, fel ei bod yn syndod mawr i ni drannoeth weld y ddau actor marw yn cerdded o gwmpas y pentre. Cofiaf yn dda ddod allan o Neuadd yr Eglwys y noson honno gyda Marged Williams, a oedd mewn gwth o oedran, a hithau'n troi ataf·a gofyn i fi pryd a phle y caen nhw eu claddu, tybed?

Yn ystod y dydd peth cyffredin fyddai gweld yr actorion yn cerdded llwybrau'r fro gan siarad yn uchel, yn amlwg yn dysgu eu rhan yn y ddrama y byddent yn ei pherfformio gyda'r hwyr. Flynyddoedd yn ddiweddarach gwelais un aelod o'r cwmni yn chwarae rhan yn y gyfres sebon *EastEnders*. A phwy allai gredu i Ray Cooney, un o feistri ffars a darpar-gyfarwyddwr y *Whitehall Theatre*, fwrw'i brentisiaeth ar lwyfan y Bont?

I Mr Aubrey oedd y diolch am hyn oll, cymeriad lliwgar a gweithgar o fewn y gymdeithas a chefnogol iawn i Miss Rees fel prifathrawes yr ysgol fach. Yn ystod y tymor pysgota byddai'r ficer yn dod i fyny i'n tir ni i roi cynnig arni ac os byddai'r pysgod yn gwrthod yr abwyd, byddai ganddo bob amser ryw lymaid yn ei boced i godi ei ysbryd. Gofynnodd Nhad iddo unwaith, o'i weld ar lan yr afon, sut oedd y pysgota'n mynd. 'Wel, Tom bach,' medde fe, 'tebyg iawn i achub eneidiau. Fel rhai o'r criw yn yr eglwys, *up-hill struggle*. Caled iawn!'

Ar un diwrnod arbennig bu'n glawio'n drwm ac fe anghofiodd y Ficer am y car. Y canlyniad, pan ddychwelodd, oedd bod yr afon wedi codi a'r dŵr erbyn hynny i fyny at hanner y drysau. Bu'n rhaid iddo ddod i fyny i'r ffald i ofyn i Nhad ddod â'r tractor i'w dynnu allan. Fe wnes i nôl rhaff, un newydd oedd Nhad wedi ei phrynu o'r *Co-op*, i'w chysylltu rhwng y car a'r tractor fel na byddai angen i'r tractor fynd yn rhy agos i'r afon. Fe gafwyd y car allan i'r cae yn ddigon diffwdan ond buan y deallwyd fod yr holl ddŵr wedi mygu'r injan a chynigiodd Nhad lusgo Mr Aubrey a'i gar i'r pentre.

Fe gychwynnodd pethe'n reit hwylus, Nhad a fi ar y tractor a Mr Aubrey'n llywio'r car. Sylweddolwyd yn fuan nad oedd y Ficer am gael ei weld yn cael ei lusgo adre wrth iddo, ar bob cyfle, ollwng allan y clytsh er mwyn ceisio tanio'r peiriant. Bob tro y gwnâi hyn byddai'r plwc yn torri'r rhaff, a finne wedyn yn gorfod ailglymu bob tro. Erbyn cyrraedd hanner y ffordd roedd y rhaff wedi byrhau gryn dipyn. A finne wrthi unwaith eto yn clymu cwlwm arall, dyma Nhad yn fyr ei dymer yn dweud, 'Fe fydd yr uffarn Ficer yma wedi bwyta'r rhaff newydd i gyd.' Nid oedd yn sylweddoli bod Mr Aubrey yn sefyll y tu ôl iddo. 'Peidiwch gofidio, Mr Arch bach,' meddai'r Ficer, 'fe gewch chi raff newydd yn y Nefoedd.' A Nhad yn ateb yn swta, 'Y trwbwl yw, Ficer, y bydd ei hangen hi arna i cyn hynny!'

Fe daniodd y car cyn cyrraedd y pentre a galwodd y Ficer draw trannoeth i ddiolch i Nhad. Lawer tro pan alwai am baned byddai'n dweud wrth Nhad, 'Os byddwch chi'n teimlo fel dod i'r eglwys, Tom, dewch yn eich dillad gwaith i arbed amser. Dyna beth mae'r Brenin Mawr ei eisiau, eich gweld chi yno.'

Ganwyd fi mewn cyfnod pan oedd crefydd – yn enwedig yng nghefn gwlad – yn bwysig, a gwasanaethau arbennig yn llenwi pob eglwys a chapel. Ac yn hynny o beth roedd Mr Aubrey yn chwarae rhan allweddol. Gŵr bychan ydoedd o gorffolaeth ond gyda phersonoliaeth anferth. Cerddai o gwmpas y pentre yn gwisgo het fawr ddu, a honno fel arfer yn gorwedd yn ôl ar ei wegil.

Nid oedd enwadaeth yn golygu gymaint iddo ag a olygai i ambell ficer neu weinidog a byddai'n ymweld â phawb gan helpu unrhyw un fyddai angen cymorth. Weithiau byddai ei wendid am ddiferyn o rywbeth bach cryfach na the yn cael y gorau arno, ond anaml iawn y daliai unrhyw un ddig ag ef yn hir. Ymdrechodd i sefydlu tîm pêl-droed yn y Bont, a heddiw, mewn rhai o'r hen luniau sydd wedi goroesi, fe'i gwelir yng nghanol y tîm fel eu llywydd.

Awn i'w weld lawer tro wrth baratoi ar gyfer cystadleuaeth siarad cyhoeddus. Roedd ganddo stôr o lyfrau yn y tŷ a byddai'n helpu bob tro. Bu'n helpu hefyd ar y fferm yn ystod cyfnod salwch fy nhad, a gwelais ef fwy nag unwaith yn helpu rhai o hen wragedd y pentre i gario glo i mewn i'r sièd. Barn rhai selogion cul oedd bod ei agwedd at grefydd yn brin. Ond i lawer ohonom fe saif John Aubrey yn y cof fel cymeriad a Christion o'r iawn ryw.

Un arall o ymdrechion y Ficer oedd trefnu i ni gael pictiwrs yn y pentre bob nos Sadwrn, eto yn Neuadd yr Eglwys, gyda'r holl offer yn cael ei gludo o Aberystwyth. Y broblem fawr oedd bod pŵer y pentre yn cael ei gynhyrchu bryd hynny drwy gynllun twrbein dŵr wedi ei leoli ar waun Penwern-hir. Cymeriad arall lleol, Dani Rees, oedd yn gyfrifol am y fenter honno, athrylith o flaen ei amser. Ond gyda chynllun o'r fath byddai'r twrbein dŵr, yn enwedig yn y gaeaf, yn medru creu problemau. Pan fyddai rhediad yr afon yn gryf byddai'n golchi grafel a rwbel i geg y biben gan wanhau'r pŵer, a hyd yn oed ei dorri'n llwyr weithiau.

Cofiaf wylio'r ffilm *The Cruel Sea* un nos Sadwrn a chael pedwar toriad yn y perfformiad. Rhaid fyddai mynd mas bob tro i gael y dŵr i lifo er mwyn parhau gyda'r ffilm. Roedd hyn wrth fodd calon y mwyafrif ohonom ni'r bechgyn wrth i ni nodi cyn i'r golau ballu ble byddai'r merched yn eistedd. Yn aml byddai mwy o hwyl ar ôl colli'r trydan nag yn ystod y ffilm. Yr unig broblem oedd yr hen lorri laeth; byddai honno wrth y stand fore trannoeth am chwarter i wyth, a finne'n gorfod gorffen godro ymhell cyn hynny.

Mudiad y Ffermwyr Ifanc

Dyw dwy awr ddim yn amser hir mewn bywyd, ond mae'n ddigon i gael effaith anhygoel ar y llwybr wnaiff rhywun ei droedio. Dyna sut y bu arna i un noson yn Hydref 1950.

Eisteddwn ar bont y pentre yn siarad â Dic Defis pan ddaeth John Jenkins heibio, a heb gymaint â chyfarchiad yn dweud, 'Tyrd gyda fi, a thithe hefyd' wrth Dic. A dyma ddilyn yn dawel. Fyddai neb yn dadlau â John Jenkins. Ymlaen â ni ac i mewn i Neuadd yr Eglwys.

Yno roedd y Cynghorwr Emrys Lloyd gyda rhyw ddyn dieithr a nifer o fechgyn a merched lleol. Eisteddwyd yn gylch cyn i Emrys Lloyd godi i gyflwyno'r dyn dieithr fel Aelwyn Jones. Hwnnw, mae'n debyg, oedd Trefnydd Sirol Mudiad y Ffermwyr Ifanc. Aeth hwnnw ymlaen i sôn am y gwahanol weithgareddau o fewn y mudiad gan orffen drwy ddweud y byddai'r Bont yn ardal dda i gynnal clwb. Cyn iddo gymaint ag eistedd, roedd John Jenkins wedi cynnig ein bod ni'n cychwyn clwb gan gynnig fy enw i fel Cadeirydd. Aethpwyd ymlaen i ddewis swyddogion eraill a chyn i mi gael cyfle i ddeud yr un gair roeddwn mewn cadair y tu ôl i fwrdd hir a John yn galw am dawelwch i'r Cadeirydd fynd ymlaen â gwaith y nos.

Gwaith y nos? Doedd gen i'r un syniad! Fûm i erioed yn Gadeirydd o'r blaen, ac yn waeth na dim chefais i'r un rhybudd. 'Gofyn i Mr Aelwyn Jones ddweud gair,' sibrydodd John, 'cyn i ti symud ymlaen.' Ac felly y bu hi. Aeth hwnnw ymlaen i ddweud mwy am y mudiad ac yna troi at weithgarwch penodol, sef llunio rhaglen i'r clwb am y tymor. Trwy ryw ryfedd wyrth, clywais fy hun yn gofyn iddo beth oedd y drefn mewn clybiau eraill. 'Da iawn,' medde John yn werthfawrogol, yn union fel petawn wedi esgor ar ryw brên wêf. A rhywfodd llwyddais i oroesi gweddill y cyfarfod.

Noson drannoeth roeddwn wrth ddrws John Jenkins am saith yn ei hysbysu fy mod i am ymddiswyddo. 'Tyrd fewn,' oedd yr ymateb gan ychwanegu, 'Does neb ar ôl syrthio i mewn i bwll yn rhoi'r gorau i ddod allan am ei fod e'n methu nofio. Eistedd fanna.' A dyma fe'n pwyntio at stôl dderw. 'A phaid â bod yn gymaint o gachgi.'

Awr – a dau baned o de yn ddiweddarach – nid yn unig yr own i lawer mwy hyddysg mewn anghenion cadeirydd ond bron iawn yn barod i ymuno â'r Blaid Lafur. Wedi blynyddoedd o weithio yn y Cymoedd, doedd ond un lliw gwleidyddol yn bwysig i John, a thebyg i Nhad a Mam boeni am rai blynyddoedd yn ddiweddarach fod eu mab, ar ôl cael ei godi'n Rhyddfrydwr, am chwifio'r Faner Goch.

Bob noson clwb, ar ôl y noson agoriadol ofnadwy honno, byddwn yn galw gyda John yn gyntaf am hyfforddiant. Yr un fyddai ei eiriau olaf bob nos: 'Gofala fod gen ti agenda wedi ei lunio. A phaid byth ag eistedd ar y ffens.' Heddiw gallaf weld y gwerth a ddeilliodd o ddal yr holl swyddi o fewn y mudiad a'r hyder a chwistrellodd yr hen löwr i gorff ffermwr ifanc.

Ein problem fawr fel clwb bron ar unwaith oedd cael man cyfarfod a lle i storio'r holl geriach a gasglem. Unwaith eto, John gafodd yr ateb gan luchio i mewn ar yr un pryd un arall o berlau ei athroniaeth Lafur: 'Os nad oes gen ti ddim, yna does gen ti ddim i'w golli chwaith,' gan ein hannog i brynu tŷ oedd yn wag yn Teifi Street a'i addasu. Ac felly y bu. Cafwyd pum ymddiriedolwr ac o fewn dim roeddem yn berchen ar ganolfan lle'r addaswyd y llawr yn fan cyfarfod a'r llofft yn fan i storio holl geriach y clwb. Yn ogystal, byddai Meri Roberts, oedd yn byw drws nesa, yn mynd i mewn i gynnau tân bob noson glwb gyda'r canlyniad bod gennym le digon diddos a chynnes ar gyfer croesawu unrhyw wahodd-edigion atom.

O dipyn i beth daeth clybiau eraill i wybod am ein bodolaeth a chaem wahoddiad i nosweithiau cym-deithasol, neu sosials, hwnt ac yma gyda phump neu chwe aelod yn mynd bob tro. Doedd gan neb gar, ac o'r herwydd byddem yn mynd yn nhacsi Wil Lloyd gyda Dic Defis yn gyrru. Roedd Dic, a elwid yn Dic Bach gan bawb am ei fod yn fachan mor fawr, yn aelod. Er gwaetha'i faint, doedd neb yn fwy addfwyn na Dic, nac yn fwy parod ei gymwynas – er ei fod wrth ei fodd yn tynnu coes a chwarae triciau.

Yn ystod y cyfnod hwnnw cynhelid cwrdd cystadleuol yn Festri'r Methodistiaid ar nos Nadolig gyda phawb o'r ardal a fedrai gerdded, bron, yn bresennol. Unwaith, ar ganol y cystadlu, a'r gweinidog newydd alw am ddistawrwydd, dyma Dic yn torri gwynt ac yn troi'n sydyn at ddwy chwaer ganol-oed oedd yn eistedd y tu ôl iddo a dweud yn uchel dros bobman: 'Ffor shêm! Ewch allan, wnewch chi!' Er ei holl gryfder corfforol a'i ddireidi, bu farw Dic, druan, yn ddyn ifanc a chollodd y pentre un o'i gymeriadau mawr.

Er yr holl hwyl o fewn y clwb, roedd yna ysbryd cystadleuol cryf, a chyn mynd i unrhyw gystadleuaeth sirol byddai paratoi trylwyr. Golygai hyn fod y clwb yn cael mesur helaeth o lwyddiant, gyda'r timau siarad cyhoeddus yn arbennig yn prysur ennill enw iddynt eu hunain. Fel unigolyn a fu'n gofidio gymaint am sefyll ar ei draed, y prynhawn mwyaf cofiadwy oedd hwnnw yn Neuadd y Brenin yn Aberystwyth ym 1956 pan ddyfarnwyd ni fel y tîm gorau drwy Gymru. Tybed beth fyddai gan John Jenkins i'w ddweud petai wedi cael byw i weld y fuddugoliaeth? Yn sicr, byddai wedi bod yn llymach beirniad ac wedi ffeindio o leiaf un man gwan yn ein dadl. O edrych yn ôl, y mudiad fu coleg llawer un ohonom gan gynnig i ni hyfforddiant, profiad llwyfannu, cyfleoedd o bob math a llwybr i gyfarfod â phobl ifanc ar draws y byd.

Byddai Rali'r Sir yn binacl ar weithgaredd y flwyddyn gyda'r paratoi yn ddiddiwedd. Roedd Nhad, ar y cyfan, yn gefnogol iawn er ei fod o bryd i'w gilydd yn cwyno mai dim ond pasio heibio fyddwn i yn ystod y cyfnod hwnnw. Beirniadu stoc oedd y gystadleuaeth fawr, a phob cystadleuydd ar ei orau, yn enwedig o gofio y byddai aelodau'r tîm sirol yn cael trip rhad ac am ddim i'r Sioe Laeth yn Llunden. Bûm yn ddigon lwcus i fod yn aelod o'r tîm nifer o weithiau gan feirniadu gwartheg llaeth a gwartheg bîff. Llawn mor ddiddorol i fi fyddai'r ymweliadau â gwahanol ffermydd i ymarfer cyn hynny.

Byddai'r ymweliadau hyn dan lygad barcud John Lloyd, Swyddog Da Byw y sir o dan y Weinyddiaeth Amaeth.

Y gwartheg Byrgorn fyddai ffefrynnau John Lloyd, a gwae'r aelod fyddai'n hallt ei feirniadaeth o'r buchod yma. Chwarae teg iddo, châi neb fynd i mewn i'r cylch yn Llunden heb i John yn gyntaf ddymuno'n dda, a'i frawddeg olaf cyn ein gadael bob tro fyddai: 'Bydd yn driw i dy feirniadaeth dy hun. Paid â gwrando ar neb arall.' Wrth edrych yn ôl, bûm yn ddigon ffodus i gael mesur o lwyddiant gyda beirniadu stoc a gyda'r cneifio a thrwy hynny gael aml i drip cofiadwy. Dyma'r adeg pan fyddai Sioe Cymru – y Royal Welsh – yn teithio o amgylch, a chofiaf – a finne erbyn hyn yn dysgu gyrru – cael mynd i Fangor i feirniadu Gwartheg Duon ar ran y sir. Cyn mynd bu'n rhaid i John Lloyd fynd â ni lawr i'r Morfa Mawr lle bu'r diweddar Llywelyn Phillips a'i frawd yn dangos rhinweddau'r brîd i ni. Gan fy mod i'n dysgu gyrru, rhaid oedd i Ewyrth Wil fod wrth fy ochr yn y car ac Ewyrth John Morgan yn eistedd y tu ôl ar y diwrnod mawr wrth fynd fyny i Fangor. Penderfynodd Ewyrth Wil fynd â fi drwy Flaenau Ffestiniog a thros y Crimea i Ddolwyddelan. 'Tir uffernol,' yn ôl Ewyrth John Morgan, 'tir rhy wael i dyfu perth. Dim rhyfedd fod angen waliau cerrig arnyn nhw!'

Gŵr arall a fu'n gefnogol iawn i'r clwb lle'r oedd barnu stoc yn y cwestiwn oedd Reg Evans, Pennaeth Fferm y Weinyddiaeth Amaeth yn y Trawsgoed. Lawer gwaith bu'n ddigon caredig i gyfarfod â ni fin nos neu ar benwythnos gan wneud yn siŵr fod gwartheg a defaid yno ar ein cyfer bob tro. Roeddem yn ffodus hefyd fel clwb fod swyddog arall o'r ganolfan yn y Trawsgoed yn byw yn y pentref, sef Mr Holmes. Bu yntau'n ddolen gyswllt rhyngom am flynyddoedd.

Cyfrwng arall i hel traed a chael gweld Cymru oedd y ddrama, ac yma roedd gen i beth mantais dros y gweddill gan i mi droedio tipyn o'r llwyfan dan lygad barcud Miss Rees. Ni fedrem fel clwb fod wedi cael gwell cyfle na phan ddaeth Gwynne Hughes Jones atom i'n dysgu. Roedd Gwynne yn frawd i Alwyn Jones o Landre a fu am flynyddoedd yn chwarae rhan Mr Gwyther yn *Pobol y Cwm*. Yn wir, roedd gan y ddau flynyddoedd o brofiad mewn llwyfannu dramâu.

Mynnai Gwynne ein bod ni'n cyrraedd pob practis i'r funud ac ni chymerai ddim lol gan unrhyw un. Byddai'n rheidrwydd dysgu'r rhan o fewn ychydig ddyddiau a gwae ni os na châi'r cymeriad ei bortreadu'n gywir. Gwelais aml un o'r merched yn crio wrth iddo eu ceryddu am beidio â rhoi corff ac enaid yn eu perfformiadau. Diolchwn ar adegau felly i mi wrando ar John Jenkins pan gynghorodd fi o'r cychwyn cyntaf, 'Os nad oes gen ti groen eliffant, paid â dweud dim yn gyhoeddus.' Rhaid dweud, er ei holl ruo, fod Gwynne yn athro ardderchog a chawsom fel clwb gyfran helaeth o lwyddiant o dan ei hyfforddiant.

Buom yn Neuadd y Brenin, Aberystwyth, droeon yn cynrychioli Sir Aberteifi ac yn ddigon lwcus i ennill. Cawsom wahoddiad hefyd i gynrychioli Ieuenctid Cymru mewn gŵyl ddrama dan nawdd y Gymdeithas Ddrama Brydeinig a gâi ei llwyfannu yn hen bafiliwn mawr y Drenewydd. Noson oer ddychrynllyd ym mis Chwefror 1954 oedd honno pan gynhaliwyd y gystadleuaeth a Byron, druan, un o'r aelodau, mewn poenau mawr drwy'r nos. Bu'n rhaid i ni ei adael yn yr ysbyty yn Aberystwyth ar y ffordd adre lle cafodd lawdriniaeth pendics cyn y bore. Roedd Byron eto yn un o fechgyn y clwb a gollwyd yn ifanc gan adael bwlch mawr ar ei ôl.

Penderfynodd Gwynne Hughes Jones yn fuan wedyn ei fod wedi ein gosod ar ben y ffordd ac y dylem bellach fynd ymlaen ar ein pennau ein hunain. A dyna pryd y cefais i'r swydd arswydus o fod yn gynhyrchydd i'r parti drama gan ddarganfod yn fuan fod gen i beth wmbredd i'w ddysgu. Roeddem yn ffodus mewn un peth, sef bod y mwyafrif o'r actorion a fu wrth draed Gwynne yn dal ar gael. A dyma wthio i'r dwfn. Tebyg fy mod i wedi byw am gyfnod ar y llwyddiant blaenorol ac yn ystod yr amser hwnnw gael cyfle i fwrw fy mhrentisiaeth. Parhaodd y llwyddiant a phenderfynwyd ymestyn y cystadlu drwy fentro ar gystadleuaeth y ddrama yn Eisteddfod Genedlaethol yr Urdd. Buom yn ddigon ffodus i gael ein henwau ar y cwpan cenedlaethol deirgwaith ddechrau'r chwe degau. Ond, yn bwysicach na hynny, cafwyd hwyl, profiad a chyfle i gwrdd â phobl ifanc fel ninne oedd am fod yno i gymryd rhan.

Yn sicr, wrth edrych yn ôl, cefais fy munud fawr ym myd y ddrama yn hollol anhaeddiannol. Chwaraewn ran Jiwdas Iscariot yn y ddrama *Y Chweched Awr*, gan neb llai na Chynan, ar lwyfan Neuadd y Brenin yn Aberystwyth yn rownd derfynol cystadleuaeth Ffermwyr Ifanc Cymru ym 1960. Y beirniad oedd Mary Lewis o Landysul, un o ffigurau mawr y ddrama yn y cyfnod ac un y byddai pob hedyn o actor â pharchedig ofn ohoni. Byddai ei llygaid o'r dechrau i'r diwedd ar y perfformiad, ac yn ôl y gwybodusion byddai pob sgript wedi ei serio ar ei chof. Daeth tro Jiwdas i ymddangos a finne, fel arfer, wedi rhybuddio'r cofweinydd pe digwyddai i'm cof fethu nad oedd i ddweud gair i fy atgoffa nes byddwn i wedi symud reit at y llenni. Yn sydyn, a bron ar yr unig adeg erioed i hynny ddigwydd i mi mewn cystadleuaeth, diflannodd y geiriau gan fy ngadael mewn gwewyr a symudais yn araf at y llenni. Yno fe lwyddais i ailgodi'r llinell ac ymlaen yr aeth y ddrama. Ar ddiwedd y perfformiad fe wnes i ymddiheuro i weddill y parti am eu gadael i lawr.

Daeth yr amser tyngedfennol a Mary Lewis yn traddodi'r feirniadaeth. Ond cyn iddi sôn am berfformiadau unigol, dyma hi'n troi at yr hyn oedd yn uchafbwynt y gystadleuaeth iddi hi. 'Cefais fy nghyfareddu,' meddai, 'gan berfformiad Jiwdas Iscariot pan wnaeth gynhyrchu cymaint o emosiwn a theimlad fel iddo fethu â dweud gair am hanner munud. Yn sicr, ar ôl heddiw, bydd y darlun yma yn aros yn y cof.' Na, fues i ddim yn ddigon o ddyn i fynd ati a chyfaddef y gwir. Rown am iddi gadw'r darlun am oes.

Pleser yn y cyfnod hwn fu ceisio cynhyrchu drama yn y Bont gyda'r actorion yn yr ymarferiadau ddwywaith yr wythnos – ac weithiau'n amlach na hynny – bob amser yn brydlon. Doedd dim problem chwaith cael adeiladwyr props a digon o ddwylo wrth law i gario, llwytho a chludo celfi ar draws Cymru. Mae'n debyg y byddai pethe dipyn yn wahanol heddiw, a llawer o'r bai ar y teclyn sy'n cynhyrchu un ddrama ar ôl y llall drwy ddim mwy o ymdrech na gwasgu botwm.

Os mai ar y llwyfan yn Aberystwyth y bu'r funud fawr,

dychwelyd o'r gystadleuaeth wnaeth greu helynt wrth ddod adre o Eisteddfod Genedlaethol yr Urdd yn Rhuthun ym 1962. Chwaraewyd drama *Y Grafanc* yn llwyddiannus gyda golygfa mewn coedwig. Golygai hyn fod angen peth wmbredd o brops i greu'r olygfa – y cyfan wedi ei gludo i fyny mewn trêlyr y tu ôl i Land Rover. Gan i ni ennill, rhaid oedd ymuno â thraddodiad pobl ifanc o gael rhyw 'jeri binc' cyn dychwelyd a rhoi cyfle i bob aelod o'r tîm sipian o gynnwys y cwpan arian. Canlyniad hyn oedd i Dic a finne fethu cael trefn ar y cychwyn adref tan ymhell wedi hanner nos, er bod y ddau ohonom fod i hel defaid gyda thoriad y wawr. Fe aeth pethe'n iawn am gyfnod nes, mae'n debyg, i ni adael i gwsg ein trechu. Fu'r Land Rover erioed yn un dda am gadw at y ffordd ar ei phen ei hun. Yn sydyn dihunodd y ddau ohonom i sŵn yfflon o glec wrth i'r cerbyd fynd dros y clawdd i'r cae. Trwy lwc, ni throdd drosodd ond erbyn i Dic, druan, adfer trefn roeddem yng nghanol y cae. Yng ngolau'r lleuad ni ymddangosai'r hen Land Rover yn rhy ddrwg ond bod drws y trêlyr wedi agor a chelfi'r ddrama wedi eu gwasgaru ar draws y cae. Doedd Dic a finne ddim cystal gyda gwaed yn llifo, fy ysgwydd yn brifo a Dic wedi niweidio'i law yn ddrwg. Serch hynny, aed ati i hel yr hyn fedrem o gelfi'r ddrama, cau drws y trêlyr a chwilio am y llidiart er mwyn mynd 'nôl i'r ffordd fawr. Chwarae teg i'r hen gerbyd, aeth â ni adre. A do, fe aed ati i hel y defaid bore trannoeth. Chwarae teg hefyd i'r hen ferlyn. Teimlaf iddo sylweddoli fod ei feistr o dan straen gan iddo ymddwyn yn berffaith gydol y dydd.

Fe gyfrannodd Mudiad y Ffermwyr Ifanc y difri a'r

digri i fi. Ond, yn fwy bendithiol fyth, rhoddodd i fi goleg gyda'r ystod fwyaf eang posib i aros yn gadarn arni am weddill oes. Roedd John Jenkins yn llygad ei le pan ddywedodd ar y noson gyntaf ofnadwy honno yn Neuadd yr Eglwys: 'Fe fyddi di'n diolch i fi ryw ddiwrnod am osod dy draed di o dan y bwrdd.'

Ie, athroniaeth yr hen löwr mor solet â'r wythïen ddu y bu'n naddu cymaint ohoni.

Cymeriadau

Fe symudodd pentre'r Bont a'r ardal ymlaen, os dyna'r gair, gan adael llawer cymeriad ym mhridd y fynwent. Ofer ydi edrych yn ôl ond anodd yw cau drws ar y cof, yn enwedig mewn ardal oedd mor frith o gymeriadau.

Un o'r rhain, yn sicr, oedd Dafydd Huws, saer maen – neu masiwn gwlad i ni – a'i offer i gyd mewn bag ar ei gefn. Roedd Dafydd hefyd fel amryw o'r trigolion yr adeg honno yn dyddynnwr gyda thair buwch Fyrgorn. Gelwid ef gan lawer yn 'Oblegid' oherwydd ei duedd i ddod â'r gair i mewn i bob brawddeg a ynganai. Bu'n gweithio llawer iawn gyda ni ac wrth ei helpu, dysgais lawer iawn ganddo fel fy mod hyd heddiw wrth fy modd yn codi waliau cerrig. Ei gyngor mawr bob amser oedd, 'Paid â chodi'r un garreg os na fedri di ei defnyddio. Y llygad yw arf pwysicaf masiwn.'

Derbyniodd Dafydd set radio yn rhodd yn ystod y cyfnod hwn, teclyn hollol ddieithr iddo. Yn dilyn dyfodiad y set radio byddai'n gwrando bob bore ar ragolwg y tywydd ac yna yn syth fe âi draw drws nesa at Tomi'r Postman i holi beth oedd radio hwnnw yn ei broffwydo am y dydd!

Ar wahân i'w grefft fel masiwn, roedd ganddo'r ddawn hefyd i ddefnyddio gwialen gollen fforchog i ddarganfod dŵr ar ffermydd yr ardal. Galwyd ef draw i'n fferm ni un bore a bu'n cerdded am gryn awr cyn datgan gydag arddeliad, 'Fan hyn, Twm, mae digon o ddŵr i foddi Aberystwyth.' Wythnos yn ddiweddarach dyma Dafydd a fi'n dechrau tyllu. A thyllu a wnaed am ddyddiau, ond yr unig ddiferion o ddŵr a gafwyd oedd y chwys ar ein hwynebau. Chwarae teg iddo, fe helpodd i gau'r twll ac ychydig ddyddiau'n ddiweddarach fe lwyddodd i ganfod dŵr a maddeuwyd iddo'r cyfan.

Ei uchelgais fawr oedd ennill cerdyn coch yn sioe'r pentre gydag un o'i wartheg Byrgorn. Gwyddwn bob amser pan fyddai un o'r buchod wedi esgor ar lo benyw gan y byddai Dafydd bron iawn yn byw yn y beudy. Ei eiriau cyntaf bob amser fyddai, 'Dyma hi i ti, dyma'r *champion*, oblegid does yr un diawl yn mynd i guro hon!' Bu farw Dafydd, druan, heb gyrraedd ei nod.

Cymeriad mawr arall oedd Rhys Jones, a fabwysiadodd yr enw Alaw Fflur fel aelod o'r Orsedd, anrhydedd a ddaeth iddo oherwydd ei allu cerddorol. Bu'n arweinydd y côr lleol am lawer blwyddyn. Caiff ei gofio gan y mwyafrif ohonom fel Ceidwad Abaty Ystrad Fflur, gwasanaeth a ddaeth â chydnabyddiaeth y Frenhines iddo am arwain miloedd o ymwelwyr rhwng muriau adfeiliedig yr hen le.

Wrth arwain dieithriaid byddai'n cerdded fel sowldiwr gan wau'r gwir a'r anwir yn gelfydd i greu canrifoedd o hanes. Ar y cyfan byddai'r stori mor dderbyniol fel y câi gildwrn reit sylweddol yn aml, yn enwedig gan ambell Americanwr. Dro arall câi ei ddal, fel y tro hwnnw wrth iddo ddangos asgwrn a oedd, yn ôl yr Alaw, yn perthyn i gorff un o Dywysogion Cymru ac a ganfuwyd wrth glirio'r Abaty. Dyma aelod o'r criw ymwelwyr yn torri ar ei draws a chyflwyno'i hun fel milfeddyg a datgan mai asgwrn yn perthyn i goes buwch oedd y crair hanesyddol dan sylw!

Bob hydref byddai'n hel danadl poethion a gwahanol ddeiliach eraill i wneud gwin. Bûm yn ddigon ffôl unwaith i gadw cwmni iddo gan wagu dwy botel. O ganlyniad bu'n rhaid i fi adael y beic gan nad oedd hwnnw, am ryw reswm, am ddod yr un ffordd â fi.

Bu'n swyddog hefyd yn yr Hôm Gârd, a llawer i dro bu Jac y gwas a finne'n cuddio ar lofft y beudy bach tra byddai'r Alaw yn rhoi hyfforddiant mewn martsio a thrin gwn i Alf ar lawr y sgubor. Bryd arall câi Alf wersi canu ganddo gan ei fod yn aelod o'r côr. Roedd Mat y forwyn o'r farn y byddai'r Alaw yn nes o gael y côr i ganu'n dda nag achosi unrhyw ofid i Hitler.

Diddordeb mawr Rhys oedd cynnal seiadau ar gyfer y rheiny oedd am ailgysylltu ag aelodau o'r teulu oedd wedi croesi i'r ochr draw. Byddai'r rhain yn sesiynau dethol iawn a bûm yn hir cyn llwyddo i'w berswadio fy mod i o ddifri ac am gael cymryd rhan. Cyn ymuno yn y sesiwn gorfu i fi enwi aelod ymadawedig o'r teulu yr oeddwn am gysylltu ag ef. Dyma'r noson fawr yn gwawrio a finne'n cyrraedd ac yn ymddwyn yn dawel a chall yn ôl fy addewid. Yng ngolau'r gannwyll, dim ond cysgodion a welwn o gwmpas y criw dethol. Roedd yr Alaw yn cymell, ond dim byd yn digwydd. Fel yr âi ymbil Rhys ar i'r ymadawedig ymddangos fynd yn fwy taer, cydiais yn sydyn yng nghoes y fenyw nesa ataf nes i honno neidio i'r awyr gan daflu'r gannwyll oddi ar y bwrdd i'r llawr. Wedi i Rhys ailgynnau'r lamp, cyfaddefais mai fi oedd ar fai a chefais fy nhaflu allan ar fy mhen. Chefais i byth fynd yn ôl ond fe ymddiheurodd y fenyw a frawychwyd wrtha i rai dyddiau'n ddiweddarach am iddi sgrechian. Tybiai, meddai, mai hen ewythr iddi oedd wedi dychwelyd, a'i fod e i fyny i'w hen driciau.

Un arall a aeth ag oriau o'm hamser gan roi pleser mawr i fi oedd George Cornwal, a weithiai fel *lengthman* i'r Cyngor Sir. O edrych yn ôl heddiw, anodd credu y gallai un dyn fod wedi cadw cynifer o ffosydd rhag gorlifo i'r ffordd a chynnal ochrau pob clawdd mor gymen heb gymorth mwy na rhaw, picas a chryman. Gelwid ei gartref yn Cornwal – hynny, mae'n debyg, ar ôl rhyw fwynwr a ddaeth o Gernyw rywdro i gloddio am fwyn plwm yng ngweithiau Bronberllan ar draws afon Teifi. Camp fawr George fyddai troi stori bum munud yn epig hanner-awr. Lawer yn ddiweddarach gwelwyd Ronnie Corbett yn mwynhau ei sedd ei hun ar y teledu gan dderbyn miloedd am wneud yr un gwaith.

Byddai George yn cychwyn bron yn ddieithriad, 'Glywest ti'r diweddara?' A finne'n ateb yn ddiniwed bob tro, 'Naddo.' Hynny fyddai'n cychwyn llif y geiriau.

'Sa di nawr, bore ddoe oedd hi. Nage, siŵr iawn, o'n i ddim wedi cyrraedd at Lidiart Caemadog ddoe. Lle roedden ni, dwêd? O, ie, rown i wedi gadel y bag bwyd ar gangen yr hen goeden dderwen ar yr ochor ucha i'r ffordd ac ar fynd i nôl paned. Na, alle hynny ddim bod achos newydd basio oedd car Dic Jones i nôl Marged Berthgoed i gwrdd â'r bws i Dregaron. Mae'r bws yn gadael am ffeif-tŵ-twelf. Fyddwn i ddim, felly, yn nôl paned achos ugen munud arall a fyddwn i'n stopo am ginio. Fydde hi ddim yn amser te deg achos odd Tomi'r Postman heb ddod lan amser hynny. Beth wnaeth i fi fynd at y bag, 'te? O, rwy'n cofio bachan, wedi rhedeg mas o faco, wedi dechrau llanw'r bibell a sylweddoli fod yr hen bowtsh yn wag. Ie, ie, rwy'n cofio troi wrth y goeden a gweld beic Tomi yn dod i'r golwg dros Riw Graig Fach.'

Finne erbyn hyn yn dechrau anesmwytho. 'A beth odd gan Tomi i'w ddeud, 'te?'

'Ie, bachan, dyna own i am weud. Ond ti'n gwbod mor ara ma' Tomi â'i stori? Dim ond i Frongoch a Troedrhiw odd e'n gorfod mynd, a dim byd pwysig yn yr un o'r amlenni, medde fe.'

'Ond beth am y diweddara?' meddwn i, o gofio am y bolied gwaith roedd angen ei wneud.

'Wel, 'na ti,' medde George eto, 'roedd e i ddisgwyl, mae'n debyg, ond faint o amser aiff cyn gawn ni e fyny yma, Duw a ŵyr.'

'Beth?' meddwn i, 'Cael beth?'

'O, wedes i ddim wrthot ti. Mae letric yn dod i'r ardal. Rhyfedd fydd hi heb yr hen lamp *Tilley* hefyd. Drud fydd hi hefyd, gei di weld. Y fflam mewn bylb, medde Tomi, rhag i neb losgi. Rhyfedd o fyd.'

A rhyfedd meddwl heddiw fod y dwylo roddodd gymaint gofal i ffyrdd y ddau gwm wedi hen dawelu.

Un fyddai'n codi gwrychyn George a llawer un arall fyddai Twm Gargoed. Dyn bach ystwyth ar ei droed oedd Twm, â'r ddawn ganddo o weld bai ar bawb. Byddai ei gap bob amser i lawr yn isel dros ei lygaid, a chan ei fod mor fychan roedd gofyn iddo blygu ei ben bron y tu ôl i'w gefn cyn medru edrych i fyny i lygaid unrhyw un. O dan ei gap cadwai ddarn o'r *Welsh Gazette* a phan fyddai ag awydd smôc, byddai'n torri darn bach sgwâr neu hirgrwn i ffwrdd er mwyn rolio sigarét.

'Pam uffern na wnei di brynu papur iawn i'w rowlio fel pawb arall?' oedd cwestiwn Dai Cornwal iddo un prynhawn. 'Ti'n drewi'r lle gyda'r hen bapur 'na, a hwnnw'n chwys i gyd.'

'Mae'n iawn i bwdryn fel ti,' oedd ateb Twm, 'ond dyna'r unig gyfle rwy'n gael i smocio a darllen yr un pryd,' gan gerdded i ffwrdd a gadael Dai i chwilio am ateb.

Bu'n ddrwg iawn un tro rhwng Twm a Ianto Caemadog, y ddau'n gymdogion a'r ddau'n fyr eu tymer. Daeth pethe i'r pen un gwanwyn a defaid Caemadog yng nghae ŷd Gargoed a Twm yn hambygio tipyn arnynt wrth eu gyrru allan. Wrth iddo weld hyn dyma Ianto'n gweiddi arno y gwnâi hanner ei ladd os na wnâi osod darn o ffens ar hyd terfyn Gargoed.

'I beth?' gofynnodd Twm, 'fe ddeuai'r diawled bach yma fewn drwy dwll nodwydd.'

Ond heb ei drechu y tro hwn dyma Ianto'n gweiddi 'nôl arno, 'Mae'r Brenin Mawr wedi bod yn hynod o gall i roi dyn mor ddwl â ti mewn corff mor fach.' Credaf i'r ddau adael yr hen fyd yma heb gymodi o gwbl.

Un arall bychan ond chwimwth oedd Iori Williams, neu Iori Bach i bawb yn y Bont. Medrai Iori chwibanu fel aderyn gan watwar aderyn du a nifer o adar eraill lawn cystal â Ronnie Ronalde, a wnâi hynny'n broffesiynol. Ymddangosodd Iori unwaith ar Sêr y Siroedd a thro arall mewn stiwdio radio yn arddangos ei ddawn.

Credai Iori'n gydwybodol y byddai, gyda dyfodiad teledu, yn gwneud ei ffortiwn. Ond nid felly y bu. Credai hefyd y deuai, rhyw ddydd, i sylw'r genedl fel canwr. Ond er iddo fynd i Dregaron bob dydd Sadwrn am wersi, ni ddaeth sôn am wahoddiad i ymddangos ar unrhyw raglen ar y bocs bach. Tebyg iddo ef a'i diwtor dreulio mwy o amser wrth far y Red Leion nag wrth ochr yr un piano. Pan fyddai wedi cael diferyn ac yn cyflwyno pwt o gân i'r cwmni, byddai'n dilyn hynny bob tro gyda'r geiriau, 'The second David Lloyd, bois bach!'

Bu'n gweithio i Nhad am gyfnod pryd yr anghofiodd am y canu a throi ei ddiddordeb at farchogaeth ceffylau. Yn sicr, roedd ganddo'r corff ond heb feddu ar y sgiliau angenrheidiol, ac mwy nag unwaith cafodd godwm trwm. Digwyddodd un yn rasys y Bont unwaith pan welwyd y ceffyl yn mynd un ffordd a Iori'r ffordd arall. Bu'n rhaid galw am ambiwlans i fynd ag e i'r ysbyty. Ond adre y daeth heb edrych fawr gwaeth.

Cofiaf yn dda amdano adeg un cynhaeaf gwair, a Nhad wedi gofyn iddo fynd i'r cae i hel y gwair tra byddai ef a finne'n paratoi'r bêlyr. O gyrraedd y cae gwelsom fod Iori wedi mynd â'r seid-rêc o gwmpas y cae tu chwith gan hel y rhibyn cyntaf o wair i ben y berth. Fe ofynnodd Mat Pencreigiau iddo beth ddaeth i'w ben i wneud rhywbeth mor ddwl. 'Wnest ti ddim edrych 'nôl a gweld dy fistêc?' gofynnodd. Ei ateb, o gofio fod Mat yn caru ar y pryd oedd, 'Eisie rhoi cysgod i ti a'r hedyn ffeirad pan fyddwch chi ym môn y clawdd ambell i noson!' Un o fyfyrwyr Coleg yr Eglwys yn Ystrad Meurig oedd yr hedyn ffeirad.

Byddai Iori'n newid ei ddiddordebau mor aml ag y byddai rhai yn newid eu cot. Prynodd daclau pysgota – y set gyfan – un tro. Ond ni ddaliodd erioed ddim ond annwyd cyn lluchio'r cyfan i gefn y tŷ. Aeth ati wedyn i drin cŵn a mynychu treialon cŵn defaid, hyn eto heb fawr o lwyddiant er bod ganddo, yn amlwg, elfen gref o ddealltwriaeth gyda chŵn.

Weithiau, wrth far y Blac Leion yn y Bont, yn enwedig yn yr haf pan fyddai ymwelwyr o gwmpas, medrai gyfuno celwydd a gwirionedd yn gelfydd i greu stori fyddai'n dal sylw'r dieithriaid hyn ac wastad yn llwyddo i ddenu peint neu ddau neu dri, a hynny am ddim. Ambell dro, byddai'r stori'n golygu y byddai angen cwrdd â nhw y bore wedyn i ddangos y rhyfeddodau y soniodd amdanynt y noson cynt. Does dim angen dweud, welodd yr un ohonynt mohono'r bore wedyn.

Bu farw'n ifanc a chollwyd cymeriad arall.

Os mai anwadal oedd Iori, gweithiwr cydwybodol oedd Twm Norris, a gafodd ei godi mewn cartref Barnardos a dod i Gymru lle dysgodd yr iaith, er bod ei Gymraeg braidd yn glapiog. Bu'n gweithio ar ffermydd fel Grofftau, Hafod y Rhyd a'r Allt-ddu. Roedd yn ŵr tal, heglog a âi o gwmpas ar gefn beic nes iddo brynu motor-beic *Bantam*.

Pan fyddai bocsys casglu Barnardos yn dod i'r ysgol unwaith y flwyddyn, byddai Twm bob amser yn gwthio pum punt i mewn, y rhan helaethaf o gyflog wythnos, mae'n rhaid. Un pnawn rhuthrodd i mewn i'r tŷ at Mam gan weiddi, 'Oes gen ti pres propyr i fi roi yn y bocs ffôn?'

'Oes siŵr,' medde Mam. 'Oes rhywbeth yn bod yn Grofftau?'

'O, Misys Arch bach, mae diawl o lle,' medde Twm, 'y buwch coch mewn diawl o stad. Eisie dod â llo, medde

Bòs, ond dyw e'n gwneud dim ond piso a brefu. Rhaid i fi ffonio fet cyn i fe mynd off ei pen.'

Do, fe ddaeth y fet. A do, fe anwyd llo byw.

Adeg cneifio, swyddogaeth Twm bob amser oedd lapio'r gwlân, ac rwy'n siŵr nad oedd neb tebyg iddo am wneud y fath waith. Lawer tro bu rhai o'r bechgyn ifanc oedd yn cario'r gwlân i fyny ato ar lofft y sièd yn rhuthro'n fwriadol gan geisio'i fygu â gwlân. Ond i ddim pwrpas. Erbyn iddynt ddod 'nôl â choflaid arall byddai Twm wedi lapio'r cyfan ac yn disgwyl am ragor.

Erys ei ateb i'w feistr wedi iddo sefyll ei brawf motor-beic ar gof a chadw hyd heddiw. Roedd wedi mynd i Lambed i roi cynnig ar ei brawf gyrru ond o fewn dim roedd yn ôl ar ffald y ffarm. Pan ofynnodd ei feistr iddo beth fu canlyniad y prawf, ei ateb oedd, 'Fi dim yn gwbod. Gwedodd y boi wrth fi am fynd rownd y bac o'r Mart, a gwelodd fi ddim ohono fe wedyn, so doth fi adre.'

Ie, er cymhlethdod ei fywyd cynnar, gŵr a brofodd ei hun yn weithiwr da oedd Twm, un a ddaliodd hyd ddiwedd ei oes i gydnabod y sefydliad hwnnw a roddodd iddo gartre bore oes.

I ni'r plant, un o'r cymeriadau wnâi dynnu ein sylw bob amser oedd Dani Bronberllan, neu Dani Lo Gêr, hynny oherwydd ei symudiad eithriadol o araf wrth gerdded y llwybr o Fronberllan i'r Bont. Mewn gwirionedd, byddai gofyn sefyll yn dawel a syllu'n reit fanwl cyn sylweddoli ei fod e'n symud o gwbwl. Roedd Dani yn berchen ar gi llathen, a mawr fu'r dadlau ai Dani wnâi addasu ei gam i gyd-symud â'r ci neu ai'r ci wnâi symud i lawr gêr neu ddwy er mwyn cyd-gerdded â Dani.

Dyn tawel iawn a hynaws oedd Dani ond un anodd

iawn i ni'r plant gynnal sgwrs ag ef gan na fyddai byth, bron, yn stopio ar y llwybr. Canlyniad hyn oedd y byddem yn ein canfod ein hunain naill ai y tu ôl neu'r tu blaen iddo. Ac o geisio cyd-gerdded ag ef, fe gaem ein hunain gamau o'i flaen.

Ni ddeallais fod ganddo erioed un ffrind, ar wahân i'r ci llathen a gafr. Cofiaf yn dda am yr hen afr yn dod atom ni blant yr ysgol un prynhawn i lawr at afon Teifi gan gychwyn ein dilyn a cheisio neidio ar ein cefnau. I ni, fechgyn y mynydd, oedd yn ddigon cyfarwydd â gweld ymddygiad tebyg gan wartheg, roedd hi'n amlwg mai galwad natur oedd wedi denu'r hen greadures dros ddwy ffin i lawr atom. Trodd yr afr cyn hir ei sylw at Anna'r ifaciwî. Dychrynodd honno am ei bywyd a rhedodd i fyny'r ffordd a'r afr ar ei hôl. Roedd hyn, i ifaciwî o ganol Llunden nad oedd wedi gweld gafr erioed o'r blaen, cynddrwg â chael ei dilyn gan lew yn y jyngl. Rhedodd heb stopio ac i mewn i'n tŷ ni. Pan glywodd Mam ryw sŵn yn dod o'r gegin fawr, canfu Anna'r ifaciwî hanner y ffordd i fyny mantell y simdde fawr a'r afr yn llyfu ei choes. Ar y funud honno, siawns na fuasai'n well gan Anna wynebu bomiau'r Jyrmans.

Rhedai llwybr cyhoeddus ar draws y fferm o Ros Gelligron i weithiau mwyn Bronberllan, llwybr a sefydlwyd gan y mwynwyr ar eu taith ddyddiol o'u cartrefi ar y rhos i'w llafur tanddaearol yn cloddio yng nghrombil y mynydd. Roedd mwyafrif eu tai ar y rhos yn dai unnos, tai a godwyd dros nos gan wneud yn siŵr fod mwg yn codi o'r corn simdde ar doriad gwawr. Wedi gorffen codi'r tŷ, byddai'r penteulu yn lluchio bwyell o'r trothwy mor bell ag y medrai, a'r pellter hwnnw fyddai'n penderfynu maint ei dyddyn.

O ganlyniad i farwolaeth y diwydiant mwyn plwm, diflannodd llawer o ddeiliaid y tai unnos i weithio yn niwydiant glo De Cymru gan adael ambell dyddynnwr mwy gwydn na'i gilydd ar ôl i grafu bywoliaeth ar unigedd y rhos a gâi ei hadnabod fel Tir y Goron. Un o'r rhain oedd John Gwndwn Gwinau, a dreuliodd ran helaeth o'i fywyd yn byw ar ei ben ei hun. Roedd John yn ddyn cadarn a chryf er bod un goes yn fyrrach na'r llall ac o'r herwydd defnyddiai ffyn baglau hen-ffasiwn pan na fyddai ar gefn ei ferlen. Byddai'n teithio ffermydd y fro dros dymor cneifio a'i swyddogaeth ar y diwrnod fyddai gwthio pilsen fawr o faint mesen i lawr gwddw pob dafad er atal clwyf y ffliwc. Roedd yn feistr ar y grefft oherwydd er holl ymdrechion llawer un arall i wneud y gwaith, byddai'r ddafad yn aml yn poeri'r bilsen allan yn ddiweddarach. Y rheswm dros effeithiolrwydd John, mae'n debyg, oedd hyd ei fys. Parodd hynny i Ianto Caemadog ddweud un tro wrth Twm Gargoed, a oedd bob amser yn gegog, 'Ceua dy geg neu fe ofynna i i John wthio pilsen lawr dy gorn gwddw di, a chyda hyd ei fys, fe ddaw ei ewin i'r golwg drwy dy ben-ôl di.' Chafodd Twm erioed mo'r profiad er holl fygwth brwd Ianto.

Cadwai John ddefaid Torwen ar y Rhos lle trigai, hynny yn rhyfeddod i lawer ohonom yr adeg honno. Cofiaf amdano'n cludo clacwydd mewn basged ar gefn y ferlen wen i lawr at Mam un min nos a finne wedi mynd i nôl y gwartheg godro o Ros Waunwen. Gwelwn John yn dynesu ar y ferlen ac ar ôl dethol y gwartheg, gan adael y creaduriaid iau ar ôl, dyma fi'n mynd ato a dechrau sgwrs wrth i ni fynd lawr y llwybr. Yn hollol ddirybudd fe ddechreuodd un o'r gwartheg ifanc redeg ar ein hôl gan ddychryn merlen John, a saethodd i ffwrdd ar garlam. Cefais hyd i John cyn hir ar ei gefn ar lawr a'r clacwydd o dan y fasged yn ceisio dianc. Daliwyd y ferlen a chwblhaodd John ei daith.

Bu'n flaenor gyda'r Methodistiaid am flynyddoedd a byddai'n ymddangos bob amser yn y sêt fawr mewn siwt frethyn ddu gyda tshaen aur ddwbwl ar draws ei wasgod. Ef hefyd oedd brenin ysgoldy Glanrafon, lle bu'n drysorydd y Cwrdd Cystadleuol hyd farw'r steddfod fach honno. Hyfryd meddwl ei fod, gyda help ffrind, wedi cofnodi hanes a bywyd y Rhos mewn llyfryn cyn ei farw.

Pan benderfynodd Nhad yn y pumdegau y dylai ddilyn penderfyniad ei gymdogion drwy brynu tractor, aeth â fi i'w ganlyn i Aberystwyth i'r ganolfan dractorau. Ni anwyd dau a oedd mor dwp cyn belled ag yr oedd gwybodaeth am offer peirianyddol yn y cwestiwn. Cerddasom i mewn yn llawn hyder ac ar ôl edrych o gwmpas am dipyn dyma Nhad yn penderfynu mai Fforden Fach fyddai'r tractor gorau i ddau brentis. Ac er mwyn sicrhau y byddai o leiaf un yn tanio bob bore, dyma brynu tri ohonynt!

Pan gyrhaeddodd y tri thractor, gofynnodd dyn y lorri i fi sawl un oedd yn gweithio gyda ni. O glywed mai dim ond Nhad a fi oedd yno, edrychodd arna i gydag edmygedd gan gredu'n siŵr y byddwn yn gyrru dau ar y tro. Methiant, fodd bynnag, fu ymdrechion y ddau ohonom ymhen rhai dyddiau i gychwyn yr un o'r tri a bu'n rhaid seiclo i'r Bont i nôl Dani Rees, un o gymeriadau mawr y pentre.

Dyn a anwyd o flaen ei amser oedd Dani. Heddiw byddai ar flaen y gad yn yr ymgyrch i ddanfon dyn i blaned Mawrth. Bu'n rhedeg gwasanaeth bysus, yn cynnal cynllun twrbein dŵr er mwyn cyflenwi trydan i'r pentre, a medrai gymell bywyd allan o injan oedd wedi hen farw. Bob amser siaradai yn dawel, dawel a rhaid fyddai gwrando'n astud cyn ei ddeall. Ofer fyddai gofyn i Dani ddod draw ar fyrder. Dyn ei amser ei hun oedd e, a gwell oedd ganddo weithio'r nos nag yng ngolau dydd. Gofynnodd ble oedd y tractor ac esboniais wrtho ei fod yn y cartws, heb feddwl sôn wrtho am y ddau arall.

Nos drannoeth clywodd Nhad rhyw sŵn ar y ffald tua deg o'r gloch y nos, ac o fynd allan dyna lle'r oedd Dani wrth ddrws y cartws yn chwerthin yn dawel wrtho'i hun.

'Be sy?' gofynnodd Nhad.

'Oeddet ti ddim wedi sylwi?' medde Dani. 'Yn feichiog oedd y tractor; mae 'na dri yno erbyn hyn!'

A dal i chwerthin wnaeth Dani nes i Nhad ei adael at ei waith. Yn fuan wedyn, roedd y tractor wedi cychwyn. Ni fyddai byth yn fodlon datgelu beth fyddai'r broblem ar unrhyw beiriant. Cofiaf amdano'n galw amdanaf tua hanner awr wedi deg un noson i ofyn i fi fynd i fyny gydag ef i Benddolfawr i'w helpu drwy ddal cannwyll tra byddai'n tynnu olwyn sgytiwr gwair yn rhydd. Roedd yr olwyn wedi llanw y tu fewn gan wair a baw gyda'r canlyniad fod un darn danheddog o'i mewn wedi torri.

'Wel, wel,' medde Dani, 'fydd dy ewyrth Rhys ddim yn hapus iawn.' Gwyddai fod ymadael â phres yn ofid calon iddo. Roedd Ewyrth Rhys, drwy lwc, wedi mynd i'w wely ac felly heb sylweddoli maint y trychineb. 'Fe wna i ddarn newydd erbyn y bore,' medde Dani, a ffwrdd â ni gyda'r darn toredig yn nwylo Dani. Pan soniais am hyn drannoeth wrth Nhad, ei ymateb oedd, 'Mae'r diawl bach yn gneud gwyrthie nawr hefyd.'

Tua chanol dydd roedd Dani yn ôl wedi llunio darn newydd, a bu'r hen sgytiwr gwair yn chwalu cnydau am flynyddoedd wedyn heb i Rhys wybod byth, hyd y gwn i, fod y darn wedi torri o gwbwl. Petai'n fyw heddiw, byddai Dani yn un o brif beirianwyr y wlad – cyhyd ag y câi weithio'r nos a chysgu'r dydd.

Yn ystod y cyfnod hwn y cychwynnodd y Comisiwn Coedwigaeth wthio'i drwyn i mewn i Gwm Glasffrwd. Gwerthwyd y mwyafrif o fferm Pantyfedwen i'w phlannu â choed. Ar fferm Pantyfedwen y bu teulu Syr David James yn amaethu cyn iddo symud i Lunden i wneud ei ffortiwn. Does gen i ond cof plentyn o'r hen Mrs Catherine James, ei fam, wrth iddi ddod allan o'r car un tro a dod i'r tŷ i weld Mam. Byddai bob amser, mae'n debyg, yn gwisgo het fawr â rhyw rwyd yn hongian lawr dros ei hwyneb. Yn ôl Ned Olfyr, a fyddai'n ei gyrru yn rheolaidd i bobman, doedd yntau ddim wedi gweld ei hwyneb ond unwaith, a hynny pan orfu iddo frecio'n sydyn ar ben Rhiw Dywyll i osgoi taro yn erbyn cert a chaseg Wil Blaenglasffrwd.

'Sut wnest ti weld ei hwyneb hi?' oedd cwestiwn George Cornwal iddo. 'Wnaeth hi ddod mas i gega â Wil?'

'Naddo, naddo bachan,' medde Ned, 'ei hwyneb hi ddoth mas drwy'r rhwyd.'

Yn ddiweddarach y diwrnod hwnnw wrth siarad â Ianto John, potsier yr ardal, ac adrodd y stori wrtho, ymateb hwnnw oedd, 'Da iawn nad cwningen oedd gen ti neu fyset ti wedi'i cholli hi.'

Er i Bantyfedwen gael ei werthu i'r Comisiwn, cadwyd tua hanner-can erw o dir o amgylch y plasty bach fel rhyw fath o dyddyn gyda'r bwriad o gyflogi rhywun, neu bâr os yn bosib, i weithio'n rhan-amser yn y coed a'r gweddill o'r amser ar y tyddyn. Yn dilyn hysbysebu, cafwyd deiliaid newydd i Bantyfedwen, sef Mr a Mrs Gutteridge, Saeson wedi byw yng Nghymru am gryn nifer o flynyddoedd yn ardal Machynlleth. Yn rhyfedd iawn, flynyddoedd yn ddiweddarach pan symudodd y wraig a finne i Fachynlleth daethom ar draws aelodau o'r teulu oedd yn dal i fyw yno a hefyd yn gweithio i'r Comisiwn Coedwigaeth.

Byddai'r hen Gutteridge yn cadw gwartheg a ffowls ynghyd â cheffyl at lusgo coed allan o'r darnau tir anoddaf a etifeddwyd gan y Comisiwn. Byth a hefyd byddai'r harnes yn torri a deuai i'r ffald ataf yn rheolaidd i ofyn am ddarnau sbâr neu am gymorth i drwsio hyn a'r llall. Fe ddaeth y ddau ohonom yn dipyn o ffrindiau, ac os byddai gen i unrhyw broblem, awn inne ato yntau am help.

Un gwanwyn, penderfynodd Gutteridge hau cae o geirch, yn bennaf er mwyn porthi'r ceffyl at lusgo coed, a bûm inne'n rhoi'r had i lawr iddo a rowlio tipyn o'r cae er ceisio cael yr wyneb ychydig yn fwy llyfn rhag ofn y byddai angen y beinder yn nes ymlaen. Beth bynnag, dros un penwythnos ar ddechrau Medi bu'n storm fawr o law a gwynt gyda'r canlyniad fod y ceirch yn gorwedd yn wastad ar lawr erbyn bore dydd Llun. Doedd dim gobaith torri dim o'r cnwd â beinder, ac er mwyn ceisio achub rhyw gymaint cefais gennad i fynd i'w helpu i dorri â phladur yr un. Cofiaf yn dda mynd i fyny ar ôl i'r gwlith godi a gweld Gutteridge yn dod i'r cae gyda phladur ar un ysgwydd a sach dros yr ysgwydd arall. Yn fuan iawn daeth yn amlwg mai poteli Brown Êl oedd yn y sach, a rhaid oedd cael stop ar ben pob pen talar. Ar ôl gwagu nifer o boteli bu'n rhaid i fi ofyn am newid y trefniant o'r un lle'r oeddwn i ar y blaen ac yntau yn dilyn gan fod sisial ei bladur yn dod yn nes ac yn nes at fy sodlau bob cynnig.

Er gwaethaf hyn i gyd, fe lwyddwyd i ddod i ben â thorri a chynaeafu'r ŷd, er mae'n debyg fod tua thair sachaid o boteli gweigion wedi eu gwacáu yn y cyfamser, ac fe chwalodd yr hen geffyl a'r gambo un o bileri'r plas wrth basio heibio.

Ei gynllun mawr arall fu magu twrcïod at y Nadolig, eu prynu yn fis oed a'u cario adre o stesion Strata yng nghefn y car. Roedd y cywion, druain, wedi bod mewn bocsys cardbord, a chan i'r adar dreulio cymaint o amser mewn caethiwed roedd yr hyn y mae pob aderyn yn ei adael ar ôl wedi gwanhau'r cyfan gyda'r canlyniad i'r bocsys chwalu yn y car. Gwrthod reid yn y car fu hanes pawb am gryn amser wedyn.

Cyn pen dim daeth yn Nadolig, ac eto dyma ofyn i fi am help, y tro hwn i bluo'r twrcïod. Dyma fynd draw un noson ar ôl godro a Gutteridge, chwarae teg, wedi gosod sedd i fi yn y stabal a bocs pren gerllaw yn llawn poteli Brown Êl. Bûm yn pluo drwy'r nos, a Gutteridge yn lladd – ar ôl i fi ei ddysgu – a phan ymddangosodd gyda'r aderyn ola roedd mwy o waed arno ef nag oedd o sôs coch ar yr actor hwnnw yn *Murder in the Red Barn*. Diflannodd rai blynyddoedd yn ddiweddarach o'r ardal yn fawr ei barch, yn un o'r Saeson hynny a gafodd ei dderbyn mewn cymuned hollol Gymreig.

Cyfeiriais yn gynharach at gert Wil Blaenglasffrwd yn cyfarfod â char Ned Olfyr ar y ffordd gul uwchlaw'r tŷ, ffordd yn arwain i Gwm Glasffrwd, ac o'i dilyn yn mynd drwy galon y mynydd i Abergwesyn. I bawb, bron, ystyrid fferm Blaenglasffrwd fel fferm fynydd, ond fe wnâi Wil herio'r ddamcaniaeth hon drwy dyfu ceirch llwyd, ceirch du bach, tatw a swêds ar dri neu bedwar cae gafodd eu dwyn o'r mawndir. Bu'r teulu'n ffermio yno ers blynyddoedd lawer, ac ar y pryd yn cynnwys Wil a Twm, dau frawd cydnerth, a Marged eu chwaer ynghyd â brawd arall, Jac Bach, fyddai byth yn gadael cartre. Roedd Twm yn 'fab y mynydd' yng ngwir ystyr y disgrifiad gyda stôr o wybodaeth am ddefaid, nod clustiau a phob math o ddywediadau rhyfedd yn ymwneud â'r tywydd.

Rhyfeddwn bob amser ato pan fyddai'n torri nod clust oen yn y gwanwyn gyda'r gyllell mor finiog fel y medrech ei defnyddio i shafio. Pan oedd ym Mhantyfedwen adeg nodi'r ŵyn, Twm fyddai bob amser yn sefyll wrth ddrws y gorlan gan dorri cil hollt a bwlch plyg ymhob clust gyda phob oen wedi ei farcio yn hollol yr un fath.

Pe byddai angen 'front man' yr adeg honno ar ffermydd, Wil oedd hwnnw. Byddai'n dod yn rheolaidd i bob marchnad yn Nhregaron, yn weddol reolaidd i'r capel ac ef hefyd fyddai'n cynrychioli'r teulu ar ymweliadau fin nos â ffermydd ei gymdogion. Ef hefyd fyddai'n mynd i sioe amaethyddol y pentre ac i Ffair

Gŵyl Grog. Ar adegau felly byddai'n cadw cwmni i Nhad ym mar bach y Blac Leion am ryw lymaid cyn mynd adre. Pan oeddwn i'n ifanc byddwn yn cenfigennu at griw'r bar bach gan mai dim ond yr etholedig rai gâi fynd i mewn yno. Cofiaf flynyddoedd yn hwyrach a Ianto John yn fy ngwahodd, 'Dere mewn fan hyn aton ni,' a finne'n cerdded mewn fel petawn i'r pwysigyn pennaf.

Wil hefyd fyddai'r cyntaf un i ymweld ag unrhyw deulu yn eu galar o golli aelod yn yr ardal, a heb os nac oni bai roedd yn feistr ar ddethol geiriau ac arddull ar gyfer y fath amgylchiad. Casbeth Nhad fyddai gorfod mynd i gartref unrhyw deulu yn y fath argyfwng. O bryd i'w gilydd deuai Wil heibio, ac o'r herwydd ni fyddai'n rhaid i Nhad ddweud llawer mwy ei hun.

Bob gwanwyn, ac yn ddieithriad cyn i ni hau ein tir ein hunain, byddai Wil a'i gert ar y ffald i nôl y dril swêds ar fenthyg. Rai dyddiau'n ddiweddarach, rhaid fyddai mynd i fyny i Flaenglasffrwd i nôl y dril gyda Wil yn taeru bob tro mai newydd orffen ei ddefnyddio oedd e gan geisio rhoi'r argraff fod ei dir swêds yn llawer mwy na'n darn ni.

Pan alwais yno gyntaf i hel defaid, dysgais yn fuan gan Ned, bugail Garreg Lwyd, mai'r peth callaf i'w wneud oedd mynd o'r golwg a gorwedd yn dawel am tua awr cyn symud y defaid ymlaen. Bwriad hyn oedd rhoi'r argraff fod mynydd Blaenglasffrwd yn fawr a bod llawer iawn o ddefaid yno. Yr un fath ar ddiwrnod cneifio, rhaid fyddai arafu pethe a pheidio gorffen yn rhy gynnar – eto er mwyn rhoi'r argraff o ddiadell fawr.

Heddiw teimlaf hi'n fraint i fi fod mor ffodus â chael byw ac adnabod pobol fel Wil a Twm Roberts, dau oedd wedi eu gwreiddio ym mawn y mynydd. Cofiaf John Nantllwyd yn dweud wrtha i unwaith, '*Mountain men – mountain manners.*' Yn sicr, wrth edrych yn ôl roedd gwerthoedd ffyddloniaid y mynydd yn gwella rhywun o'u profi.

Hon oedd oes y crwydriaid – y tramps – a nifer o gymeriadau yn eu plith yn gweithio ar ffermydd yr ardal. Un o'r rhain oedd Jim Daley, Gwyddel dros chwe throedfedd o daldra ac un gwyllt ei natur. Yn ôl yr hanes roedd wedi ei eni yn fab fferm ar yr Ynys Werdd ac un diwrnod marchnad, wedi mynd â gwartheg ei dad yno. Wedi'r gwerthu, arferai'r arwerthwr dalu ar y diwrnod mewn arian parod. O gael yr arian aeth Jim a'i ffrindiau i'r dafarn agosaf a phan sobrodd roedd y pres i gyd wedi mynd. Roedd arno ormod o ofn mynd adre a dyma gychwyn cerdded y wlad gan wneud ei ffordd i Gymru a gweithio yma ac acw.

Byddai'n gweithio llawer i Nhad, gan amlaf am ryw dridiau ar y tro cyn gofyn am bres a mynd i'r dafarn a meddwi. Byddai'n gythgam o ddrwg ei dymer nes sobri unwaith eto ac yna ailafael yn ei waith. Cofiaf amdano unwaith cyn sobri yn dod 'nôl gan fynd i'r beudy i garthu a cheisio llwytho'r dom ar y ferfa i gyd ar un llwyth. Y canlyniad oedd i'r ferfa chwalu'n yfflon. Lluchiodd Jim y rhaw gan estyn cic i'r fuwch wen. Ond chwarae teg iddi, doedd yr un Gwyddel yn mynd i gael y gorau arni hi ac estynnodd gic yn ôl iddo rhwng ei goesau. Bu'n griddfan yn hir yn y gwair nes iddo sobri. Ond fe gerddai yn reit ryfedd.

Roedd Jim yn dipyn o feistr ar blygu gwrych, a chan fod dros ddwy filltir o wrychoedd yn ffinio â dwy ochr i'r ffordd fawr byddai Nhad yn ei gyflogi i'r pwrpas hwnnw bob hydref. Fe alwodd Mam arnaf un canol dydd i fynd i nôl Jim o'r gwrych at ei ginio. I ffwrdd â fi, ond wrth nesáu ato deallais ei fod yn un o'i hwyliau drwg a thybiwn ei fod ar fin codi ei bac i fynd i yfed. Gwir y tybiwn gan iddo, yng nghanol ei regi wrth i fi nesu ddweud, *'I want my money. I'm off.'*

'Iawn,' meddwn i, 'ond tyrd i ginio'n gynta.' Ond cyn cychwyn am y tŷ dyma fe'n hel ei offer a'u lluchio i sach wrth ei ymyl ac yna lluchio honno dros ei ysgwydd gyda'r bwriad o'i chario 'nôl i'r ffald. Yng nghanol yr offer roedd bwyell, ac wrth luchio'r sach dros ei ysgwydd, plannwyd y fwyell yn ei gefn.

Erbyn cyrraedd adre roedd ei sgidiau'n llawn gwaed, a finne'n wyn fel y galchen yn cerdded wrth ei ochr. Bu'n rhaid i ni gael Doctor Defis i fyny o Dregaron a rhoddwyd Jim i orwedd ar ei fol ar fwrdd y gegin, Nhad yn dal un fraich ac Alf y llall. Tywalltodd y doctor ddiferyn o wisgi a gafodd gan Mam bob ochr i lafn y fwyell gan arllwys y gweddill rywsut i lawr gwddf Jim. Pan dynnwyd y fwyell allan fe dasgodd gwaed mor uchel â'r nenfwd, a Jim yn rhegi. Roedd y stafell yn edrych yn debycach i siop fwtsiwr nag i gegin. Wedi pwytho'r clwyf, rhoddwyd Jim mewn gwely a bûm yn cario bwyd iddo ac yn gofalu amdano am tua phythefnos cyn iddo eto fedru ailafael yn ei waith, a hynny fel petai dim wedi digwydd. Wedi hynny daeth Jim a finne yn gryn ffrindiau a byddai o bryd i'w gilydd yn dweud, *'Young Arch is the best bloke here.'* Hwyrach iddo glywed y doctor yn dweud wrth Mam i fi wneud y peth iawn drwy beidio â thynnu'r fwyell allan nes iddo gyrraedd y tŷ.

Un arall fyddai'n galw'n reit aml, yn enwedig pe na byddai Jim o gwmpas, oedd Harry Lauder. Ni fedrai'r ddau oddef bod yng nghwmni ei gilydd. Ychydig o waith yn yr ardd a rhyw dwtian o gwmpas a wnâi Harry gan feddwi yn awr ac yn y man – os byddai rhywun arall yn talu.

Ni fu neb tebyg i Harry am fwyta erioed. A meistrolodd y grefft o ddweud celwydd er mwyn ennill ei frecwast. Cofiaf amdano un amser brecwast yn ymddangos yn y bing o flaen y gwartheg pan oeddwn yn godro. Roedd wedi cyrraedd yn ystod y nos ac wedi mynd i gysgu yn y gwair o flaen y gwartheg, un o'r mannau cynhesaf ar unrhyw fferm. Aeth yn syth i'r tŷ at Mam gan ddweud wrthi nad oedd wedi bwyta ers dyddiau a'i fod ar lwgu. A Mam, druan, yn ddigon dwl i'w gredu a rhoi llond bol o fwyd iddo. A ffwrdd ag ef.

Yn ddiweddarach y bore hwnnw rown i'n mynd i Ddolebolion i ddyrnu ceirch at hau, a dyma Dai y gwas yn dweud wrtha i, 'Beth oedd yr hwyl ddrwg oedd arnat ti'r bore 'ma?' O holi ymhellach deallais fod Harry wedi mynd ar ei union oddi wrth Mam a dweud wrth Mrs Jones yn Nolebolion fy mod i yn ddrwg fy hwyliau ac wedi ei ddanfon i ffwrdd am iddo gysgu o flaen y gwartheg heb ganiatâd. Do, fe gafodd ddau frecwast. Trannoeth deallodd Dolebolion iddo symud ymlaen i Benwern-hir gan ddweud yno fod gormod o brysurdeb yn Nolebolion i baratoi dim ar ei gyfer am eu bod nhw'n paratoi at ddyrnu. Petai gystal gweithiwr ag o gelwyddgi ac o fytwr, byddai wedi bod yn fachan gwerth ei gyflogi.

Dro arall, tra oedd gyda ni ac yn helpu Mam i chwynnu'r ardd, bu'n adrodd wrthi droeon yn ystod y dydd iddo glywed sawl awgrym yn y pentre fod y beddau yn y fynwent ar draws y wal â'r ardd yn llawer rhy fas. Ni chymerodd Mam fawr o sylw, dim ond mynd ymlaen â'r chwynnu ac erbyn nos roedd hi wedi anghofio am ei ddamcaniaeth fawr. Ond wnaeth Harry ddim anghofio ac wedi swper, fel iddi lwydnosi, fe aeth i'r fynwent ar ei ben ei hun heb ddweud wrth neb. Mae'n debyg iddo fynd i fedd agored a neidio i mewn iddo er mwyn archwilio'i ddyfnder. Plygodd i lawr gan osod brigyn neu ffon ar y gwaelod ac ymsythodd i weld pa mor bell o'r wyneb oedd y pren yn cyrraedd. Yn y cyfnos, pwy ddaeth at lidiart y fynwent ond Ted Edwards ac Elen Hopkins, y ddau yn canlyn ar y pryd. Fel roedd y ddau yn agor y glwyd, dyma ben yn ymddangos o'r bedd agored. Ni welwyd Ted ac Elen wrth lidiart y fynwent am amser hir wedyn. A Harry? Aeth yn ôl i'r tŷ a dweud wrth Mam, '*I'm a ghost, you know!*' Doedd dim angen perswadio Ted ac Elen o hynny!

Cymeriad arall o grwydryn fyddai'n galw yn ystod yr haf fyddai Swift. Ni fynnai i neb wybod ei enw bedydd. Yn ôl yr hanes, ni welid ef byth yn ystod y gaeaf gan y byddai, rywbryd yn ystod mis Tachwedd, yn taflu carreg drwy ffenest siop neu fusnes tebyg ac o'r herwydd yn cael chwe mis o garchar. Golygai hyn y byddai'n siŵr o wely a brecwast drwy fisoedd oeraf y flwyddyn. Yn ôl ei dystiolaeth ei hun bu'n filwr drwy gyfnod y rhyfel, a phan ddychwelodd i Lunden canfu fod ei gartref a'i deulu wedi eu difrodi gan y bomiau.

Cychwynnodd Swift deithio'r wlad, ac am ryw reswm penderfynodd mai Cymru oedd y lle i fod, yn enwedig yn ystod yr haf. Byddai'n treulio cyfnod yn cneifio ar fynyddoedd Tregaron gan hel gwlân a'i gario i fyny'r llofftydd uwchlaw'r sièd gneifio lle byddai rhywun arall yn lapio a phacio'r cnuoedd. Aml i dro byddai rhai o'r bechgyn iau yn cuddio cerrig neu bwysau ychwanegol mewn cnu a byddai'r hen Swift yn mynd o'i go ac yn siarad ag ef ei hun am oriau wedyn.

Daeth ei gyfnod cneifio yn Nhywi Fechan i ben, bron ar yr union funud y daeth yr alwad i ginio, pan ollyngodd styllen yn stafell y gwlân a choesau Swift, druan, yn ymddangos drwy'r llofft. Yn syth bìn daliodd dau neu dri o'r bechgyn ar y cyfle i glymu ei draed yn dynn o dan y llofft fel na allai symud. Ac yno y bu dros ginio nes i'r perchennog, o weld ei golli, ei ryddhau. Fel y byddai rhywun yn disgwyl, roedd Swift yn gandryll o'i go ac aeth i ffwrdd gan alw pawb, yn enwedig y Cymry, yn bob enw dan haul. Ni welwyd mohono wedyn yn yr un cneifio nac ar yr un fferm yng Nghymru.

Yn rhyfedd iawn, fel Swift, fe ddiflannodd y cymeriadau hefyd, a thebyg iawn fod y gymdeithas wledig yn dlotach o'u colli. Beth wnâi athrylith fel Dai Jones, Llanilar, tybed, â rhai o'r cymeriadau hyn petai *Cefn Gwlad* yn bodoli ar y pryd? Yn sicr, byddent wedi denu gwên i wyneb llawer un, a byddai rhai o'u dywediadau wedi eu serio ar gof y genedl.

Ar y Gorwel

Cyn i fi sylweddoli, bron, roedd dyddiau'r Ffermwyr Ifanc yn dod i ben a'r hwyl o fod yn un o'r bois yn dechrau pylu. Roedd chwarter canrif ers i fi weld golau dydd gyntaf ar y gorwel erbyn hyn, a daeth yn amser i'r bachgen gwyllt ddechrau ymddwyn fel dyn. Roedd dyddiau cystadlu yn enw'r mudiad a'r holl hwyl o fod yn perthyn i griw o bobol ifanc yn dod i ben.

Roedd meddwl am orffen cystadlu fel disgwyl diwedd y byd ar y pryd, ac eto, o gael cyfle i hyfforddi a threfnu gweithgareddau'r ifanc credaf i fi gael yr un mwynhad. Bu Mudiad y Ffermwyr Ifanc i fi, fel i lawer arall, yn goleg addysg bellach, a'r noson fythgofiadwy honno yng nghwmni John Jenkins pan ymaelodais yn ddeunaw oed wedi bod yn allwedd ar gyfer agor nifer o ddrysau bywyd.

John Jenkins hefyd fu'n gyfrifol am wneud i fi ymuno â phwyllgor sioe amaethyddol y pentre gyda'r canlyniad i fi fod yn ysgrifennydd am dros ddeng mlynedd, swydd, fel y profais, oedd yn hawdd ei chael ond yn anodd gythreulig i gael gwared ohoni. Eto, bu'n fodd i gwrdd â llawer o bobol, trafod problemau a cheisio cadw'r cwch yn llonydd ar fôr reit dymhestlog ar brydiau. Fel sioe bentref bu'n eithriadol lwyddiannus dros y blynyddoedd gan fodoli am dros hanner can mlynedd.

Yn y blynyddoedd tra bûm i'n ysgrifennydd, y drefn oedd cynnal y sioe yn y prynhawn, rasys ceffylau i ddilyn ac yna diweddu'r cyfan gyda drama neu gyngerdd yn neuadd y pentre. Yn y sioe byddai dosbarthiadau i ferlod a cheffylau, gwartheg, defaid, cŵn a chystadlaethau dan gyfrwy (gemau *musical chairs* gydag anifeiliaid!) o fewn y cylch.

Byddai diddordeb arbennig yn y rasys gyda chystadlaethau arbennig i ferlod a chobiau Cymreig yn cynnwys trotian, *'walk, trot and gallop'*, gyda chystadleuwyr yn cyrraedd o bell ac agos. Yn eu plith byddai Rhys Morgan o Landdewi Brefi, Jones Talsarn, Jones Bwlchllan, Jim Powell o Flaenmagwr, Humphreys Cwmcou, Morgan Blaenpennal, Jenkins Talsarn, Morgans Cilcennin, Seaton Penparcau yn ogystal â Nhad a llawer arall. Fel yr enillodd y tractor ei dir, diflannodd nifer o'r cobiau a'r merlod Cymreig gyda'r canlyniad i'r rasys ar gyfer y bridiau Cymreig ddiflannu.

Serch hynny, ni ddiflannodd y rasys ceffylau. Disodlwyd y cobiau gan y cyd-lamwyr, llawer o'r rhain wedi eu mewnforio'n wreiddiol o'r Unol Daleithiau. Roedd rhai o'r rhain wedi eu croesi â merlod Cymreig, yn enwedig yn y dyddiau cynnar gan ddod, yn raddol, yn fwy pur. Gwelwyd pobol fel John Evans, Llanybydder; Peter Vaughan, Llanidloes; Parkes, Llanfyllin; John Lewis, Henfeddau; Williams, Rhiwonnen; Evans, Alltmaen; Thomas, Maesybont; Collard o Raeadr Gwy; Thomas Gors Goch ac eraill yn bridio a rhedeg ceffylau.

Bu sioe'r pentre ar flaen y gad yn cynnig £100 fel gwobr gyntaf i'r ras drotian agored pan welwyd rhai o geffylau gorau Prydain ar Ynys Dolfawr, cae y bu'r teulu Herbert mor barod i'w roi at wasanaeth y pwyllgor flwyddyn ar ôl blwyddyn. Bu yno gryn dân yn y pwyllgor y noson y penderfynwyd ar y wobr honno gyda sawl un yn darogan y byddem yn fethdalwyr mewn dim o dro. Ond dal i fynd mae'r sioe o hyd er bod y rasys wedi troi i fod yn annibynnol erbyn heddiw.

Diflannu wnaeth y ddrama a'r cyngerdd i ddiweddu'r diwrnod, gyda'r cyfle am ambell i 'jeri binc' yn fwy derbyniol erbyn heddiw. Yn rhyfedd iawn, yn y ddrama ar noson y sioe wnes i ailgyfarfod â Mari, a finne heb ei gweld ers dyddiau ysgol. Roedd hi newydd ddychwelyd i Geredigion, ar ôl cyfnod yn Llunden, i ddysgu yn y wlad. Ychydig wnes i feddwl y noson honno wrth ei danfon adre y byddwn yn ei phriodi ac yn rhannu bywyd â hi am dros ddeugain mlynedd. Rhyfedd o fyd o feddwl na fu i'r ddau ohonom brin dorri gair â'n gilydd yn ystod ein cyfnod yn Ysgol Tregaron.

Yn yr ysgol hefyd y proffwydodd yr athro Saesneg na fyddwn byth yn medru ysgrifennu llythyr busnes, yn enwedig yn yr iaith fain. Eto, ar ôl gadael yr ysgol gelwid arnaf yn barhaus i ysgrifennu llythyron ar ran cymdogion neu ffrindiau, yn enwedig pan fyddent mewn trybini. 'Rwyt ti'n gywir fel dy dad-cu,' fyddai sylw Anti Mat yn aml, 'â dy fys yng nghawl pawb. Gwylia rhag i'r crochan droi a dy losgi di.' Trwy lwc, fe gadwodd y crochan rhag mynd ar ei echel.

Yn ystod y cyfnod hwn penderfynodd Cyngor Sir Ceredigion bod angen mwy o ddŵr glân ar y Cardis, a phenderfynwyd cysylltu Llynnoedd Teifi â'r system oedd yn bodoli ar y pryd. Golygai hyn y byddai'r biben newydd yn rhedeg ar draws y mwyafrif o ffermydd yr ardal a finne, fel Cadeirydd y gangen leol o Undeb Cenedlaethol y Ffermwyr, a gafodd ar y pryd y gwaith o helpu ffermwyr unigol i baratoi ceisiadau am iawndal. Un peth oedd paratoi'r cais, problem hollol wahanol oedd cael y ddwy ochr i gytuno, a llawer tro bu'n ddadlau poeth cyn ysgwyd dwylo, o'r diwedd, a gorffen gyda phaned o de.

I wneud sefyllfa anodd yn un llawer gwaeth, roedd angen tyllu darnau creigiog o'r tir, a gwnaed hynny gan dîm o Wyddelod gyda'r pen bandit ei hun, Bill Murphy, yng ngofal y gwaith. Mae'n amlwg, wrth edrych yn ôl, nad oedd neb wedi clywed am Ddeddf Iechyd a Diogelwch bryd hynny, a chredaf fod Murphy wedi bod yn un rheswm da dros sefydlu'r fath ddeddf.

Defnyddiai ef a'i ddynion ddeinameit fel pe byddai'n tyfu ar goed gyda'r canlyniad y byddai ambell ddarn o graig yn disgyn yn y fferm nesaf. Dywedodd Tomi'r Postman un dydd fod darnau o graig wedi hedfan heibio iddo wrth iddo gerdded llwybr Bronberllan. Pan oedd Murphy'n chwythu ei ffordd dros Fryncrach uwchlaw Terrace Road, fe hedfanodd cawod o greigiau dros y tai gan dorri nifer o lechi a gwneud i drigolion y stryd gredu fod y rhyfel wedi ailgychwyn.

Er hynny, roedd rhywbeth yn annwyl iawn yn yr hen Murphy, ac er y medrai yfed peintiau fel petai heb gorn gwddw, ni welais ef erioed yn feddw. Roedd ganddo ateb parod bob amser fel y tro hwnnw pan oedd ar ruthr rhwng y Red Leion a'r Blac Leion. Ar ddamwain, trawodd yn erbyn y gweinidog Methodist, William Defis. Fe ymddiheurodd Murphy a dyma'r Parchedig yn ei geryddu'n chwareus.

'Take your time, Mr Murphy,' medde Defis. *'Remember, Rome wasn't built in a day.'*

'No, *Father*,' medde Murphy, a'r gair tadol Catholig yn gwneud i'r gweinidog wingo. *And do you know why Rome wasn't built in a day? Well I'll tell you – because Bill Murphy wasn't the bloody contractor.*'

Un o'r cymeriadau fu'n gweithio yng nghanol y criw o Wyddelod oedd Tom Ifans, neu Twm Tŵ-Iyr Old. Cafodd ei lysenw pan ofynnodd rhywun iddo unwaith sut oedd e'n teimlo. Ei ateb oedd, 'Fel Tŵ-Iyr Old, bachan.' Ac wrth yr enw hwnnw y cafodd ei adnabod weddill ei fywyd.

Fel y byddai Murphy a'r criw yn agor hafn yn y graig i'r biben fynd drwodd, gwaith Twm fyddai codi ffens dros-dro rhag i anifeiliaid ddisgyn i mewn. Un bore roedd Nhad yn pasio heibio tra oedd Twm wrthi'n codi pignet, neu ffens mochyn, a oedd yn gymharol newydd ar y pryd. Roedd y ffens weier wedi ei gwau ar ffurf sgwariau, rhai bras ar y top a rhai llai ar y gwaelod er mwyn atal ŵyn bach, yn arbennig, rhag mynd trwodd. Ond roedd Twm, druan, wedi ei gosod y ffordd chwith gyda'r sgwariau bach ar y top. 'Gwell i ti ei chodi, Twm, a'i hailosod,' awgrymodd Nhad, 'neu fe fydd ŵyn yn mynd drwyddi ac yn dianc.' 'Dim peryg,' medde Twm, 'os gallith y diawled bach fynd mas drwyddi, yna fe allan nhw ddod 'nôl drwyddi hefyd.' Doedd dim ateb i hynna a gadawodd Nhad ef wrth ei waith.

Yn ystod y cyfnod hwn, a finne'n gweithio gartre'n amser llawn, byddwn yn cymryd llawer iawn o ddiddordeb yn y ffermio, yn enwedig yn y defaid a'r gwartheg. Roedd hwn yn gyfnod a welodd newid o'r hen wartheg Byrgorn i'r gwartheg du a gwyn, sef y Ffrîsian, gan brynu lloi benyw a rhoi tarw Ffrîsian i'r gwartheg

Byrgorn gorau. Y canlyniad oedd bod nifer o wartheg gleision yn y beudy, a rhaid dweud iddynt fod yn wartheg llaethog iawn. Cofiaf un heffer las oedd ar fin dod â llo a ninne'n brysur gyda'r gwair ar ddiwrnod poeth ganol Gorffennaf. Amser cinio dwedodd Nhad wrtha i am ddod â hi i mewn i'r Cae Bach fel y medrem gadw golwg arni wrth i ni fynd 'nôl ac ymlaen i'r sièd wair. Amser te, a finne wedi picio i'w gweld, sylweddolais iddi neidio'r ffens a diflannu. Yn ddiweddarach gwelais olion ar y clawdd yn awgrymu iddi ddianc i'r coed.

Erbyn bore trannoeth roedd hi 'nôl gyda'r gwartheg ond yn amlwg wedi bwrw'i llo. Ond er chwilio caled am ddyddiau, methwyd â'i ganfod yn unman. Ymhen wythnos daeth glaw a phenderfynais y gwnawn farchogaeth dros bob llathen o'r coed er mwyn canfod rhyw eglurhad am ddiflaniad y llo. Wedi teirawr o chwilio, neidiodd y ceffyl yn sydyn yng nghanol clwstwr uchel o redyn, ac o chwilio yno llwyddais i ganfod y llo. Roedd yn dal yn fyw ond yn rhy wan i sefyll ar ei draed.

O'i gludo i lawr adre ar gefn y ceffyl ni fedrai Nhad ac Ifans y Fet, oedd ar y ffald ar y pryd, gredu'r peth. Barn Ifans oedd mai'r unig reswm dros i'r llo fod yn fyw oedd y ffaith nad oedd wedi sugno'r fam o gwbwl. Gyda gofal mawr fe'i cedwais yn fyw a thyfodd i fod yn eidion gwerth ei weld.

Dyma'r cyfnod pan oedd y Weinyddiaeth Amaeth yn dilyn cynllun i glirio pob gyrr o wartheg o'r diciâu, neu'r tiwbyrciwlosis, ac yn hynny o beth buom yn ddigon ffodus i fod yn un o'r ffermydd cyntaf yn yr ardal i ddod yn glir o'r afiechyd. Teimlwn yn dipyn o foi yn medru dweud wrth bawb fod y gwartheg wedi cael trwydded lân gan y Weinyddiaeth. Yna, un bore, wrth gerdded y ddôl ger afon Teifi beth welwn ond Lovell a'i griw, teulu o sipsiwn wedi dod ar un o'u hymweliadau â ni. Ond y tro hwn, yn ychwanegol i'r ceffylau a'r cŵn, beth oedd ynghlwm wrth reffyn ond buwch Jersi.

Roeddwn i'n gandryll o 'nghof pan ymddangosodd Nhad, ac o weld hwnnw hefyd yn gwylltio ni fu'r hen Lovell yn hir cyn gadael. Pan soniais am y digwyddiad wrth Dai Caemadog yn hwyrach y prynhawn, fe ddwedodd ar unwaith, 'Fe ddylet ti fod wedi stwffio deinameit i fyny ei ben-ôl a'i chwythu'r holl ffordd yn ôl i Ynys Jersi.' Roedd Lovell yn dad i bump o blant, pedair o ferched ac un mab. Roedd tair o'r merched yn briod ar y pryd a byddai'r teuluoedd i gyd yn crwydro gyda'i gilydd o un lle i'r llall. Merch lygatddu â gwallt du yn hongian i lawr at ei chanol oedd yr ieuengaf. Fe'i gwelais unwaith yn ymdrochi yn afon Teifi heb iddi wybod fy mod i yno. Dyna'r diwrnod, mae'n debyg, pan sylweddolais gyntaf fod mwy i fywyd bachgen na reidio beic a marchogaeth ceffyl.

Lovell fu'n gyfrifol hefyd am i fi gwrdd unwaith eto â Tom Defis, plismon y pentre. Bu haf 1952 yn ddifrifol o sych ac o'r herwydd roedd Lovell a'i deulu wedi dechrau nôl dŵr o'r gronfa leol ac amheuai rhai eu bod yn golchi eu dillad yno hefyd gyda'r canlyniad iddynt fynd â'u gofidiau at Defis. Yn ôl yr hanes, roedd hwnnw wedi bod eisoes gyda'r sipsiwn ac wedi eu hysbysu yn gwbwl ddiseremoni eu bod ar dir preifat. Felly bu raid i Nhad a finne fynd yno gyda Defis i'w symud i ffwrdd. Yn fuan wedyn fe ddiflannodd Defis o'r fro, fel y sipsiwn, a finne bellach fel llawer un arall yn teimlo'r golled a gafodd ardaloedd gwledig pan ddiflannodd y plismon pentre a *lengthman* y Cownsil.

Gweithiwn gartre yn ystod y cyfnod hwn am gyflog fechan – arian poced, mwy neu lai – a byddwn byth a hefyd yn chwilio am ryw ffordd o ennill arian ychwanegol. Felly, pan ofynnodd Mrs Lloyd o hen blas Pantyfedwen i fi a fuaswn i'n fodlon edrych ar ôl ei chathod yn ystod cyfnodau pan ymwelai â Llunden, derbyniais yr uchel swydd ar unwaith.

Roedd gan Mrs Lloyd bum cath, rhai pedigri Persian, medde hi, ac enw hir ac egsotig ar bob un. Yn ystod cyfnodau ei habsenoldeb, byddai'r cathod yn cyrraedd yn nhacsi Dic Jones mewn basgedi pwrpasol gyda thuniau bwyd arbennig i'w dilyn. Fe wnes inne le arbennig iddyn nhw yn y sgubor gyda thrwch o wellt yn wely ar eu cyfer. Fe aeth popeth yn iawn yn ystod y flwyddyn gyntaf, a finne'n ennill cyflog fach reit deidi. Ond yr ail flwyddyn, dyma drychineb yn digwydd. Un bore yn y sgubor sylwais mai pedair cath oedd yno yn hytrach na phump. Ac er chwilio diwyd, welais i byth mo'r bumed wedyn.

Gofynnais am farn John Jenkins ar y mater a chofiodd hwnnw'n sydyn iddo weld hysbyseb am sêl adar a chathod rywle yn y Sowth. Erbyn cael hyd i'r hysbyseb gwelwyd mai Llambed oedd y Sowth, a bore Sadwrn dyma fynd yno ar fws Wil Lloyd gan gyrchu ar unwaith am Neuadd Fictoria lle cai'r sêl ei chynnal. Drwy lwc roedd yno gath a chwrcath brown yno, yn union yr un lliw â'r gath golledig. Doedd ond un dewis wrth ddisgwyl yn eiddgar i'r arwerthwr gyrraedd at Lot 138.

Cofiaf yr eiliadau hirion fel petaent yn hanner diwrnod yr un cyn i'r gath gael ei tharo i lawr i fi am £3. 7s. 6c. Roedd pres y tocyn bws ar ben hynny wedyn. O'i chael adre bu ychydig o ymladd rhwng y gath newydd a'r lleill ond fe setlodd y creadur yn y diwedd ac edrychai'n reit hapus erbyn i Mrs Lloyd gyrraedd adre.

Wythnos yn ddiweddarach dyma Mrs Lloyd yn gofyn i fi, *'Did anything happen to Lillyput while I was away?'*

'No,' meddwn i, *'why do you ask?'*

'She is nowhere near as happy to sit on my lap as she used to be before I left.'

Chwarae teg iddi, mae'n debyg iddi sylweddoli'r gwir ond ei bod hi'n ormod o ladi i ddweud dim byd yn gyhoeddus, a chefais ofalu ar ôl y cathod iddi am rai blynyddoedd wedyn.

Heb i neb ohonom sylweddoli, roeddem yn byw'r cyfnod olaf o yrru anifeiliaid ar hyd y ffordd heb fod car neu lorri'n gwibio heibio bob munud. Roedd yn arferiad yn Sir Aberteifi i ddefaid ac ŵyn llawr gwlad ddod i fyny i'r mynyddoedd yn ystod yr haf ac i ddychwelyd yn ôl adre yn yr hydref. Bu defaid Dolfor ger y Trawscoed yn dod atom dros yr haf am rai blynyddoedd a byddwn inne'n eu gyrru'n ôl ar hyd y ffordd fawr bob cam, ymron ddeng milltir, a chyrraedd Dolfor cyn iddi nosi. Rhaid fyddai mynd i'r tŷ ar wahoddiad teulu James bob amser a chael llond bol o fwyd. Bron yn ddieithriad cawn sachaid o falau o'r berllan i fynd adre, a chariwn y rheini ar fy nghefn yn ôl ar hyd y llwybr at afon Ystwyth. Yna, croesi'r bont grog, ac ambell dro gorfod arwain y cŵn drosti am eu bod yn ofni symudiad y bont. O gyrraedd y ffordd fawr cawn fws *Crosville* wedyn i fynd adre gyda'r cŵn a finne yn llenwi dwy sedd a'r falau mewn cornel allan o'r ffordd.

Bob hydref hefyd byddai Jones y Waungrug yn Nyffryn Paith ger Aberystwyth yn dod i fyny ar y bws ac yn prynu'r hen famogiaid. Gofynnai wedyn i Nhad a gawn i eu gyrru nhw lawr iddo. Hwnnw'n cytuno, a finne'n gwybod fod diwrnod hir arall o gerdded o'm blaen. Byddwn yn troi'r defaid allan o'r Cae Bach fel roedd hi'n goleuo gyda Ffan, yr ast las, a Fflei, yr ast dorgoch, a Wag, y ci coch, yn barod i fynd. Roedd hon yn daith o ymron ugain milltir, a phan fyddai Ffan yn troi'r defaid i mewn i gae'r Waungrug byddai bron yn dywyll. Chwarae teg i'r hen Jones, chawn i ddim gadael heb alw yn y tŷ i fwyta pryd. Yna, 'nôl â fi i ben y lôn i ddisgwyl y bws adre i'r Bont. Yn bwysicach na dim, byddai Jones yn estyn cildwrn sylweddol, a hynny'n gwella'r traed blinderus yn syth bìn.

Cŵn Cymreig oedd gen i bryd hynny, a phob tro ar daith hir byddai Ffan yn cerdded o flaen y defaid ac ymhen dim deuai'r ddiadell i ddilyn, ac o'r herwydd doedd fawr o waith gyrru arnynt. Methais yn llwyr â dysgu *collie* i droi ei gefn ac arwain y defaid. Methais hefyd gael ci Cymreig i yrru defaid i ffwrdd yn dawel fel y gwna'r *collie*.

Cyn cau pen y mwdwl ar chwarter canrif gyntaf fy mywyd ar yr hen ddaear hon, dylwn sôn am un digwyddiad a brofodd yn llawer mwy peryglus nag a feddyliais ar y pryd. Mam oedd wedi bod yn amau amser bwyd un diwrnod fod rhai o'r ieir yn dodwy ar ben y gwair yn y sièd ond nad oedd hi'n cael gymaint o wyau â'r disgwyl. Felly, un canol dydd dyma fi'n mynd i ben y sièd a chwilio o un gole i'r llall nes cyrraedd y pen pellaf. Ac yno, ar ben y gwair, roedd olion yn awgrymu fod rhywun yn treulio tipyn o amser yn gorwedd yno. O gwmpas roedd tuniau gwag, plu ieir ac ambell ddilledyn. Meddyliais yn siŵr mai rhyw grwydryn neu'i gilydd oedd yn galw yno heb ddweud wrth neb, rhyw fynd a dod ar y slei. Ddwedais i'r un gair wrth neb gan feddwl y gwnawn i ddarganfod yn gyntaf beth, mewn gwirionedd, oedd yn digwydd.

Bore trannoeth, ar doriad gwawr, roeddwn wrth lidiart yr ydlan pan welais ddyn yn dod lawr o ben y gwair, un garw'r olwg, sach ar ei gefn a rhywbeth digon dieflig yn ei osgo. Edrychai'n fygythiol i fyw fy llygaid cyn troi yn sydyn a diflannu dros glawdd yr ydlan i'r coed. Soniais am y peth amser godro wrth Nhad ond er cadw golwg, welwyd ddim mohono wedyn nac ychwaith unrhyw olion iddo fod yn ôl ar ben y gwair.

Gydag amser anghofiais yn llwyr am y digwyddiad nes yn sydyn un bore gwelais ei lun yn syllu arnaf o'r *Western Mail*. Roedd plismyn yn y Canolbarth yn chwilio amdano. Roedd y gŵr a welswn ar ben y gwair wedi saethu'r Rhingyll Arthur Rowlands yn ei wyneb ym Mhontarddyfi a daeth yr enw Boynton yn adnabyddus i Gymru gyfan dros nos. Trwy lwc a bendith fe'i daliwyd yng Nghorris ond nid cyn iddo ddwyn golwg y Rhingyll yn ei atgasedd tuag at yr heddlu.

Er yr holl brysurdeb gartre ar y fferm ac o fewn y gymuned, llwyddwn i ganfod amser mor aml â phosib i ymweld â Mari draw yn Ystrad Meurig, a'r ddau ohonom bellach wedi dyweddïo ac yn trafod o ddifri enwi'r dyddiad priodi. O symud y mater ymlaen ymhellach dyma'r Ficer yn awgrymu dydd Sadwrn ym mis Tachwedd i ni, sef yr unfed ar ddeg, Dydd y Cadoediad. Cofiaf yn dda i'r Parchedig Geraint Evans ddweud – yn Saesneg, am ryw reswm – *'Let there be a permanent armistice in your home.'* Drwy lwc, mae'r cadoediad priodasol wedi parhau hyd heddiw. Wrth i ni ddod allan o'r eglwys, dyma John Jones, Pantyfedwen – gan ddilyn hen draddodiad – yn tanio dwy ergyd o wn, un ar ôl y llall, a bu bron i Anti Mat ddisgyn ar ei phen-ôl gyda'i hwyneb yn wyn fel y galchen.

Ie, John Jones, druan, un o gymeriadau mawr arall y fro, sef tad Caradog Jones, y Cymro cyntaf – a'r unig un hyd yma – i ddringo i gopa Everest. Y drychineb fawr oedd i John farw cyn i hynny ddigwydd. Byddai wedi bod mor falch o'r 'hen grwt', fel y'i galwai.

Mynnai John, ar ôl rhyw lymaid neu ddau, mai Carlo ei gi melyn – mwngrel o'r radd flaenaf – oedd wedi rhoi sylwedd i'r dywediad 'croen ei din ar ei dalcen'. Digwyddodd yr hyn a roddodd sail i'w honiad yn ein sgubor ni un bore Sadwrn pan aeth hi'n ymrafael rhwng Carlo a Wag, ci defaid Ifan Berthgoed. O fewn dim aeth pethe'n ddrwg. Roedd y ddau gi mor ffyrnig fel ei bod hi'n beryglus mynd rhyngddynt. O'r diwedd llwyddwyd i lusgo'r ddau oddi wrth ei gilydd a chanfuwyd fod ci Ifan wedi dioddef rhwyg cas gyda darn o'i groen ger ei ben-ôl wedi ei noethi bron at ei dalcen. Aeth Carlo yn bencampwr dros nos ym meddwl John.

Ond i ddod 'nôl at briodi Mari, penderfynwyd y byddwn i'n parhau i weithio gartre, er fy mod yn dechrau dod yn ymwybodol nad oedd Nhad â'i fryd ar ymddeol a'r ffaith fod Dai hefyd bellach adre'n gweithio. Roedd popeth yn mynd yn hwylus a chawn bellach roi fy amser i gyd i'r defaid a'r gwartheg gan anghofio am beiriannau. Bu'n gas gen i beiriant erioed, a'r unig feddyginiaeth y medra i gynnig i unrhyw injan sy'n gwrthod cychwyn yw cic. Eto, gyda chreadur, gallaf weld o bell a oes unrhyw beth o'i le arno a bydd gen i syniad go dda o'r rheswm am hynny.

Er cystal y cydweithio ar y ffarm, rhaid fy mod i'n gwybod yng nghefn fy meddwl nad oedd ddyfodol i dri theulu ar yr un fferm, ond fel gyda phob penderfyniad anodd, haws oedd gohirio pethe tan yfory. Ond dod wnaiff pob yfory, a chyn fy mod i'n sylweddoli hynny, roeddwn ar wastad fy nghefn yn yr ysbyty yn Aberystwyth yn dilyn triniaeth frys. Mae'n debyg i'r driniaeth fod yn gymaint o sioc i rywun oedd yn teimlo'n hollol iach wythnos yn gynharach nes i fi golli 'ngwallt bron yn llwyr. Dywedodd Doctor Defis wrtha i wedi i fi ddod adre nad oeddwn ar unrhyw gyfrif i wneud dim nes byddai ef yn caniatáu hynny, a dyna ddechrau ar rai wythnosau o segurdod.

Roedd y segurdod hwnnw fel carchar, a phob diwrnod yn mynd yn hwy ac yn hwy. Roedd hyn hefyd yn rhoi i rywun amser i feddwl a myfyrio gan edrych i'r dyfodol. Yng nghanol y myfyrio gwelais hysbyseb am swydd Trefnydd Ffermwyr Ifanc Sir Drefaldwyn. I fab fferm nad oedd wedi gwneud y defnydd gorau o'i ddyddiau ysgol roedd hon, o leiaf, yn swydd y gwyddwn rywbeth amdani. Cynigiais am y swydd, ac er fy mod i'n weddol sicr na fuaswn yn clywed dim byd pellach, dyma lythyr yn cyrraedd yn galw arnaf i ymweld â'r Drenewydd am gyfweliad.

Gyrrodd Mari a finne dros Bumlumon ac ymlaen am Langurig gyda phob milltir yn diflannu'n llawer rhy gyflym. Dyma gyrraedd, a cherdded i mewn i'r adeilad penodol fel oen i'r lladdfa a disgwyl am yr alwad. O gael fy ngalw i mewn, bûm bron iawn â llewygu o weld trigain o ymgeiswyr yno ar gyfer y cyfweliad. Ar ben hynny deallais y byddai'r cyfweliad drwy gyfrwng yr iaith fain.

Wrth ddod allan cofiais am Wncwl Jac yn dod adre o'r rhyfel, a gallwn feddwl fy mod inne'n teimlo'r un fath ag ef. Bu'n yfflon o sioc rai dyddiau'n ddiweddarach i dderbyn llythyr yn fy hysbysu fy mod i wedi cael y swydd a bod disgwyl i fi gychwyn fis Medi. Ac felly y bu. Yn ystod fy chwarter canrif ar y ddaear, dim ond un diwrnod arall oedd i brofi mor uffernol â bore'r cyfweliad, a hwnnw oedd y bore Gwener hwnnw ar ddiwedd Awst a finne'n mynd i'r Drenewydd i weithio mewn swyddfa'r bore dydd Llun canlynol.

Ac uffernol oedd y gair. Gadael y cŵn, gadael y ddwy ferlen, gadael y defaid a'r fferm. Os mai babi sydd fel arfer yn crio, yna roeddwn i'n fabi'r bore hwnnw. Wrth deithio lawr y ffordd gwnes un adduned i fi fy hun – sef y byddwn yn y dyfodol yn ôl yn ffermio defaid a gwartheg gan ddefnyddio cŵn a cheffylau. Un dydd, hwyrach y gwnewch glywed i mi wneud.

Ychydig iawn a feddyliais ar y pryd wrth ddod â chwarter canrif i ben oedd bod y pum mlynedd ar hugain hynny wedi cau drws ar gymaint o agweddau o fewn ardal gymharol fechan. Yn ystod y cyfnod diflannodd y ceffyl fel pŵer ar y ffermydd gyda'r gert a'r gambo yn cael eu halltudio i ben draw'r sièd. A'r hen aradr fain, aradr Llanfihangel, yr oged a'r injan lladd gwair ynghyd â'r beinder a pheiriannau eraill yn cael eu cludo i ffwrdd ar y lorri sgrap neu eu gadael i rydu mewn gwely o ddanadl poethion. Credaf mai ein hen gaseg Derby oedd yr olaf un yn yr ardal. A bu'n amser anodd y diwrnod y cyhoeddodd Ifans y Fet y byddai'n rhaid ei rhoi i lawr, a phawb ohonom yn teimlo ein bod ni'n colli aelod o'r teulu.

I rywun oedd â chymaint parch iddi, bu colli'r gymuned fynyddig yn rhwyg na fedrodd neb ei chywiro. Dros nos bron, daeth y ddau air Comisiwn Coedwigaeth yn eiriau llosg, ac o un i un diflannodd ffermydd Cwm Glasffrwd a Chwm Tywi dan goed. Cofiaf Ned Garreglwyd a finne'n dod 'nôl o'r mynydd un noson ym mis Tachwedd ar draws tir mawnog Tywi Fechan, a geiriau Ned – sy'n dal i aros yn fy nghof – oedd: 'Pa goed sy'n mynd i dyfu yn y blydi fawnog oer yma?' Finne'n cytuno, ond profwyd y ddau ohonom yn anghywir.

Mewn dim o dro diflannodd teuluoedd Nantyrhwch, Dolgoch, Nantstalwyn, Moel Prysgau, Tywi Fechan, Blaenglasffrwd, Hafod Newydd, Grofftau a Phantyfedwen. Collwyd cartrefi, cymuned a phobol oedd â rhyw gadernid yn perthyn iddynt, cadernid wedi ei naddu o'r mynydd o'u cwmpas. Roedd pob un o'r ffermydd hyn wedi eu codi ar lan afon er hwylustod i gael dŵr i'r creaduriaid, dŵr i olchi ac i ddipio'r defaid ac, yn groes iawn i'r meddylfryd heddiw, wnaeth hynny ddim drwg i'r pysgod yn yr afon. Bellach, a'r afon yn rhedeg am filltiroedd drwy goed pin heb yr un ffermwr yn agos, does yna'r un pysgodyn ynddi.

Do, diflannodd y ffermwyr a'u ffordd o fyw i'w canlyn – y cyfnewid cneifio a hel defaid, y torri mawn a gwair cwta a'r ffordd hunangynhaliol o fyw pan ddeuai gaeaf caled fel un 1947 i dorri ar draws y patrwm. Caewyd hefyd ysgoldai bach Glanrafon a Chwm Moiro ac aeth y steddfodau bach a'r cyngherddau i'w canlyn. Cau fu hanes ysgol fach Ystrad Fflur. A diflannu hefyd wnaeth y trên fu'n gystal cloc i amryw ohonom wrth iddo chwibanu ei ffordd drwy Dynygraig a nesáu at Strata. Ac, yn anffodus, dyna fu hanes bysus Wil Lloyd hefyd.

Ond rhaid peidio â digalonni. Rhaid edrych ymlaen. Bob amser daw cenhedlaeth newydd â rhyw egni newydd a gwerthoedd newydd. Felly, beth amdani? Edrychwn ymlaen!